ゴライの悪魔

Isaac Bashevis Singer
Satan in Goray

アイザック・バシェヴィス・シンガー
大崎ふみ子 訳・解説

未知谷
Publisher Michitani

ゴライの悪魔　目次

第一部

第二部

登場人物紹介

ラビ・ベニシュ・アシュケナジ：長年共同体を導いてきた高名なラビ
オゼル：ラビ・ベニシュの長男。五十代に近い
レヴィ：ラビ・ベニシュの末の息子。三十代
ネヘレ：レヴィの妻。良家の出
エレアザル・ババド：かつてはゴライで最も裕福だった市民
レヘレ：エレアザル・ババドの娘。十七歳で、左足が不自由
グルナム：〈堂守りのグルナム〉。宗教施設の世話役で、ラビの補佐役
モルデカイ・ヨセフ：足の不自由なカバラー主義者
イチェ・マテス：ゴライを訪れた行商人で書記
ゲダリヤ：ザモシチの儀式屠畜人でサバタイ・ツェヴィの信奉者
ゴデル・ハシド：ゴライの市民
チンケレ：〈信心者のチンケレ〉。ボヘミア出身の女

ゴライの悪魔

本書の出版を可能にしてくれた人々に私の感謝の意を表したい。

ジェイコブ・スローンはこの小説に出版社の注意を向けさせ、多くの人が翻訳不可能と考えた作品を翻訳するという困難な仕事を引き受けてくれた。

セシル・ヘムリーとエレイン・ゴットリーブはたゆまず力を尽くし、彼らの努力がなければこの小説が現在の形で世に出ることはありえなかった。彼ら二人に負うところは非常に大きい。

アイザック・バシェヴィス・シンガー

第一部

第1章　ゴライの一六四八年

一六四八年に、邪悪なウクライナ・コサックの首領ボグダン・フメリニツキーとその配下の者たちがザモシチ〔ポーランド東部の都市〕の町を包囲したが、町を落とすことはできなかった。守りが堅かったからである。反乱に加わって強盗となった農民たちは移動を続けて荒らしまわり、トマシュフ、ビウゴライ、クラシニク、トゥロビン、フラムポル〔いずれもポーランドのルブリン地方のユダヤ共同体〕を破壊し――そしてゴライ、地の果ての丘陵地帯のただなかにある町もその例にもれなかった。彼らはいたるところで虐殺を繰り広げて、生きたまま男の皮を剥ぎ、幼い子供を惨殺し、女は犯したあとで腹を裂き、なかに猫を縫い込んだ。多くの者がルブリン〔ポーランド東部の都市。ザモシチの北西約八十キロ弱〕へ逃げ、洗礼を受けてキリスト教徒になり、あるいは奴隷として売り飛ばされた者もおおぜいいた。ゴライはかつて学者や立派な業績をあげた人々で有名だったが、見る影もなくさびれた。市の立つ広場は、いたるところから農民〔ポーランド人やウクライナ人などの非ユダヤ人を指す〕が定期市を目指して来ていたものだが、一面に雑草で覆われ、祈りの家〔ユダヤ教の礼拝のための施設〕と学びの家〔ユダヤ教の学びのための施設〕は馬が残していった糞だらけで、兵士たちはそこを厩にしていたのだった。ほとんどの家が火で全壊した。ゴライが壊滅したあと何週間も、亡骸はどの通りでも放置されたままで、埋葬する者がだれもいなかった。獰猛な犬どもがばらばらになった手足を引っぱり、ハゲタカとカラスが人間の肉を餌にした。わずかな生き残りの人々は町を去って、あてもなくさまよった。ゴライは永久に消え去ったかに思われた。

　何年かしてようやく、極貧状態の市民たちが戻り始め、それぞれ大きな一族からひと握りの者たちが戻ってきた。この間に、ゴライが荒らされたときに若者だった人々は髪が白くなっていたし、かつて共同体で力のあった人々は今や粗布で身を包み、ずだ袋を携えているだけだった。ある者は正しい道を踏みはずし、またある者は憂鬱症におちいっていた。けれども世の常で、やがてはすべてがかつての状態に戻るものだ。店は長いこと錆びたよろい戸を閉ざしていたが、一軒、また一軒とひらいた。骨は打ち捨てられていた墓地に運ばれて、そこで共同の一つの墓にみな埋葬された。屋台店の日よけがおずおずと吊り下げられた。見習いの奉公人たちが壊れた屋根を直し、煙突を修理して、血のりの飛び散った壁を塗り直した。長い棒を使って少年たちが、干上がったいくつもの小川で人骨を捜した。しだいに、使い走りの者たちが村から村へと再び活動を始め、トウモロコシや小麦、野菜や亜麻を買いに出た。周囲の村の農民はひどくおびえていて、ゴライを領土とした悪鬼を怖がって足を踏み入れもしていなかった。彼らは今、再び町に乗り入れ、塩やロウソクを買い、女物のスモックやブラウスの布地、綿のカフタン〔長袖で丈が長く、帯で締める衣服〕や陶器の壺、さまざまな首飾りや装飾品を買った。ゴライは常に世界から孤立していた。丘陵と鬱蒼とした森林が町のまわりに何マイル〔一マイルは約一・六キロメートル〕も広がっていた。冬になると、踏みわけ道は熊や狼、イノシシの潜伏場所となった。大虐殺があってから、野生の獣たちは数を増していた。

最後にゴライに戻って来た町民は年老いたラビ〔ユダヤ教の律法の専門家〕である高名なラビ・ベニシュ・アシュケナジと、かつては共同体きっての金持ちでその指導者だったレブ〔イディッシュ語で男性の名につける敬称〕・エレアザル・ババドだった。ラビ・ベニシュは家族のなかの半数を超える者たちを引き連れてきた。彼はただちに祈りの家近くの古い自宅に入り、宗教上の食餌規定を遵守するよう監督し、女たちが適切なときに儀式沐浴場〔宗教上の穢れを浄めるための沐浴場〕へ行くようにし、若者がトーラー〔律法。広義にはユダヤ教の教え全体を指す。狭義にはモーセ五書（旧約聖書の最初の五書）を指す〕を学ぶよう取り計らった。ラビは娘二人と孫五人をルブリンの墓地に残してきた。彼はこの間何年も流浪の身だったが、不幸が彼のあり方を変えることはなかった。早くに起きて、タルムード〔ユダヤ教で聖書に次ぐ権威をもつ書物〕とその注解をろうそくの明かりで学び、冷たい水に身を沈め、シナゴーグ〔ユダヤ教の会堂〕で日の出とともに祈りを朗誦した。ラビ・ベニシュは六十代だったが、肌はまだなめらかで、白髪を失うこともなく、歯も抜けていなかった。祈りの家の敷居をまたぎ、何年かぶりで初めてなかに足を踏み入れたとき――長身で、骨格はがっしりとし、丸みを帯びてたっぷりとした巻き毛のあごひげをたくわえ、サテンの上着は土の床に届き、クロテンの帽子を首まで深く引きおろしていた――そこに坐っていた者たちはみな立ち上がって、祝福の祈りを唱え、死者をよみがえらせたまう神に感謝した。というのもさまざまな知らせが届いていて、ラビ・ベニシュはルブリンで一六五五年の〈仮庵の祭*〉前夜の虐殺によって命を落としたと伝えられていたからだった。房付きの衣〔掟に忠実なユダヤ教徒の男性が上衣の下に着用する四隅に房飾りのついた衣。典礼の衣〕をラビ・ベニシュはシャツと上着のあいだに着ていて、その房が足首のまわりで転がるように踊った。短い白のズボンと白い靴下、そして短靴を履いていた。ラビ・ベニシュは人差し指と親指で右目に垂れかかる太い眉をつかみ、もっとよく見ようと持ちあげて、黒ずんではげ落ちた祈りの家の壁と空の本棚に目をやり、大きな声で宣言した。「もう十分だ！ ……新たに始めよというのが我らの聖なる神のご意志である」

*ユダヤ暦のティシュレイの月〔西暦の九月～十月〕の十五日に始まる八日間の祭。ユダヤ人がエジプトを出て荒野で暮らしたことを記念する祭であり、収穫祭でもある。

ラビ・ベニシュ・アシュケナジはゴライでの彼の職務を何世代ものラビから受け継いでいた。注解書や回答書を著し、〈四地域協議会〉〔十六世紀から一七六四年まで続いたポーランドとリトアニアのユダヤ人自治協議会〕の法廷の一員であり、この時代のもっとも傑出した者の一人と考えられていた。かつては夫が消息不明となった多くの妻たちが人里離れたゴライまではるばる旅してきて、ラビ・ベニシュから再婚の許し〔ユダヤの法では妻は夫の離縁状があるか、あるいは夫の死が完全に証明されないと再婚できない〕を得ようとした――それは、学識があり優れた頭脳の持ち主だったにもかかわらず、ラビ・ベニシュが律法を寛大に解釈する人々の一人だったからである。しばしば有名な共同体から使節がゴライにやって来て、だれもがつきたがるラビの地位を受けてくれるように説得を試みた――けれどもみな落胆して立ち去った。ラビ・ベニシュは彼が職務を受け継いだ場所で生涯を終えたいと願っていた。そして今、彼は再び故郷に帰ってきた。奇跡的なことに、彼の家はほとんど被害を受けていなかった。オーク材でできた二つの書棚には今また二つ折り判の大きな書物や原稿が詰め込まれて、黄色いサテンのカバーのついた古めかしい数脚の椅子とともに以前の場所にあり、銅製の枝つき燭台が天井から下がっていた。宗教の書物や文書は屋根裏部屋に一メートルほども積み上がっていた。家のどこかに土人形が隠されているといううわさまであって、かつて迫害のときにその町のユダヤ人たちを救ったゴーレム〔ユダヤ伝説で魔術的な力によって命を与えられた土人形〕だというのだった。

レブ・エレアザル・ババドはゴライに娘を一人だけ連れて戻ってきた。姉娘は結婚していたが、コサックたちに犯されてから、槍で刺し貫かれた。妻はやはり病ですでに亡くなっていた。レブ・エレアザルの一人息子は行方知れずで、どうなったのかだれも知らなかった。家の一階は壊されていたので、彼は屋根裏部屋に移り住んだ。かつてレブ・エレアザルは豊かなことで有名だった。週日でさえ絹の服を着ていた。花嫁は彼の家まで案内されるのが習慣となっていて、その場で婚礼の楽団が彼に敬意を表して演奏するのだった。祈りの家では先唱者がレブ・エレアザルの到着を待ってから、〈十八の祝禱〉〔ユダヤ教の主要な祈り〕を朗誦し、安息日には彼の家族と祭日の客たちが銀器の並ぶテーブルで食事をした。たびたびゴライの領主がレブ・エレアザルの家に馬車で乗りつけ、奥方の宝石を形にダカット金貨を受け取った。

　しかし今レブ・エレアザルにかつての面影はなかった。背が高く細身の体はろうそくのように曲がり、くさび形のあごひげは灰白色となって、やせこけた顔は赤レンガ色をしていた。レブ・エレアザルの目は、骨ばって肉のこそげた鼻近くにあったが、今では突き出て、いつも地面に何かを探しているように見えた。古びた羊皮の帽子をかぶり、なんとも表現しがたい部屋着を着て歩きまわった。腰をロープで締め、足にはぼろを巻いて、乞食同然の身なりだった。祈りの家の礼拝には決して来なかった。自分で家事をして、掃除をし、自身と娘の食事を作り、市場に出かけることまでして、手押し車の脇に坐っている女たちから小銭で買った食料を持ち帰った。暮らしはどうかとか、ここにいなかったあいだはどうしていたのかと尋ねられるといつでも、レブ・エレアザルはあたかも何か恐ろしい考えに身震いするかのような様子をして、自分のもの思いに引きこもり、問いかけた相手の肩の向こうに目をやって答えるのだった。「なぜそんな話をする？　なんの役に立つ？」

彼は自身の罪の贖罪をしているのだと言う者たちもいた。テメ・ラヘルという信心深い女がつけ足して言うには、ある夜遅くに彼の家の窓辺を通りかかったら、行ったり来たり歩いているのが見え、悲しげな声でしゃべっていた、とのことだった。気がふれたのだとささやく者たちもいて、寝るときも服を脱がないとか、まるでお産のときの女みたいに夜な夜な枕の下に長いナイフを置いて魔除けにしている、と言う者たちもいた。

娘のレヘレは十七歳で、左足が悪く、外にはめったに姿を見せず、自分の部屋に閉じこもっている方が好きだった。背が高く、緑がかった顔色をしていたが、器量がよく、長い黒髪は腰まで届いていた。レブ・エレアザルが戻ってきた初めのころに人々は結婚を世話してやろうとしたが、それはそんな年ごろの娘が夫もなしに家でじっとしているのはかわいそうだったからだ。しかしレブ・エレアザルは結婚仲介人に返事をせず、良いとも悪いとも決して言わなかったので、仲介人たちはすぐにうんざりして話しても甲斐がないと思った。おまけに、レヘレのふるまいがそもそもの最初から奇妙だった。雷が鳴ると彼女は悲鳴を上げてベッドの下に隠れた。若い女房たちや娘たちが訪ねていくと、彼女は何もしゃべらず、無関心なままで彼女たちを寄せつけなかった。早朝から夜まで彼女は一人きりで坐って、靴下を編んだり、あるいは外国から持ち込んだヘブライ語の書物を読みふけっているばかりだった。窓辺に立って髪を編んでいるときもあった。大きな黒い目がじっと屋根の向こうを見ていた――見ひらいて、きらめき、あたかもほかの人々には隠されているものを見ているかのようだった。レヘレは身体に障碍(しょうがい)があったけれども、男たちに罪深い気持ちを起こさせた。女たちは彼女の話をするときに頭を横に振って、こうささやいた。

「かわいそうに親を亡くすし、独りぼっちで……すごく弱々しい子。それにあんなにふさぎ込んで」

第2章 ラビ・ベニシュと彼の家族

ルブリンでラビ・ベニシュはたえず忙しかった。一六四八年と一六四九年の事件のせいで、何千人もの女たちが結婚しているわけでも寡婦でもない状態となったが、それは夫が生きているのかどうかが不確実なためだった。たびたびラビの法廷は掟の厳密な文言からはずれて、女たちに結婚の誓約を解いてやらねばならなかった。集会所の控えの間(ま)でラビ・ベニシュはほかの著名なラビたちと裁定の場についたが、そこには常に嘆き悲しむおおぜいの女がいた。こうした不運な女のなかには、町から町へとさまよい歩き、神聖な埋葬組合の記録簿を探して、行方知れずの夫の名前を見つけ出そうとする者たちもいた。ほかには、彼女たちと結婚する義務のある義理の兄弟からその義務を解除させられた女たちが、そうした場合の同意に対して請求できる金額にひどく不満を言うこともあった。しばしば、これらの女たちの一人が再婚すると、最初の夫が戻ってくるのだった。その男を奴隷にしたタタール人のもとから逃げてきたり、スタンブール〔イスタンブール〕にあるユダヤ共同体が身代金を払って救い出したのだった。〈四地域協議会〉がひらかれている建物の周囲では結婚仲介人たちがせわしなく動きまわり、夫婦になれそうな男女の縁組をして、手数料の前払い金を手に入れた。乞食が通りがかりの人々の上着を引っ張った。なかば、あるいは完全に気のふれた者たちが笑ったり、泣いたり、歌ったりした。父や母を亡くした子供たちが中庭をうろつき、見捨てられたみすぼらしい身なりで、横柄に物乞いをした。日々、使節が到着し、それぞれ異なるユダヤ共同体から遣わされてくるのだが、フメリニツキーやスウェーデン兵〔一六五五年にスウェーデン軍がポーランドに侵攻した〕にひき続いて襲ってきた苦難を報告した。一度ならずラビ・ベニシュは神に嘆願して、この世から私を取り除いてください、私にはもう悲しみに満ちたこうした話を聞く力がありませんと祈った。

しかしここゴライではすべてが平穏だった。裁判のいざこざもなく、宗教上の掟に関する質問もほとんどなかった。たしかに町は彼にごくわずかな生活費を出せるだけだったが、まさにそのおかげでラビには自分の時間が十分にあった。彼の部屋は家のほかの部分とは広い廊下で隔てられていて、すみずみまで静寂が行きわたっていた。仲間のいないハエがぶんぶんと飛び、窓ガラスにぶつかった。ネズミが一匹、爪を立てて床を走った。コオロギがストーブの裏で一本調子に数分鳴いては長くそのこだまに耳を澄まし、それから新たに鳴き始め、まるで忘れられない悲しみを悼んでいるみたいだった。天井は煙で黒ずんでいた。壁には白カビが生えていて、白と緑のカビでできた染みが夜になると浮き出て、あたかもあの世から出現したかのようだった。テーブルには罫のない数枚の紙と鵞ペンが置いてあった。ラビ・ベニシュはそこに何時間も続けざまに坐って、思索にふけり、広いひたいに皺を寄せて、ときどき期待を込めたまなざしを窓の黄ばんだカーテンに送った。半数を超える町の人々がこのころには戻って住まいを見つけていたけれども、外でしゃべり声や子供たちの遊ぶ物音がすることはめったになかった。まるでゴライに戻ってきたわずかのユダヤ人たちがみな屋内にいて、敵が執念深く戻ってくるという知らせが届くのではと聞き耳を立てているかのようだった。

ラビ・ベニシュは自分の民を知っていた。彼はたえず深い瞑想に心を奪われていたけれども、だれのことをも気に留めていて、女性を名前で呼びさえした。ラビ・ベニシュがゴライに到着したのは夏で、忙しい季節だった。町の人々は森から木材を運んでいるところだった。のこぎりが甲高い音を立て、金槌の音が響き、子供たちが走りまわった。若い娘たちは森から出てくると、手桶にあふれんばかりのブルーベリーや野イチゴ、重い枝の束や籠に入れたキノコを運んできた。ゴライの領主は彼の池で町民が魚を獲ることを許可したし、どの家庭でも果物を干して保存しておき、一年のほかの時期に備えた。日暮れどきにラビ・ベニシュが祈りの家へ歩いていくと、空気は新鮮な牛乳と煙突の煙のにおいがして、何もかもかつてのままであるように思えた。そうしたとき、彼は目を天に向けて神に感謝し、彼の群れの残った者たちを救ってくださったことをありがたく思ったが、それはほかの共同体で起きたように完全に滅ぼされてしまうことがなかったからだった。

しかし今、〈仮庵の祭〉が過ぎてしまうと寒い時期が始まって、ゴライの荒廃がいっそう明らかになってきた。窓枠だけになった窓のほとんどは板を打ちつけてあったり、ぼろ布でふさいであった。子供たちが着る暖かい服がないので、彼らは家にこもって学校へ行かなかった。雨があがると水たまりができ、家々の継ぎはぎの壁や屋根を映し出した。収穫はとぼしく、刈り取ったわずかばかりの小麦は挽くことができず、それというのも粉屋が命を落とした者たちの一人だったからだった。水車小屋の留め具は壊され、土で築いた堰は踏みつぶされてしまっていた。わずかなパンを得るために、ゴライの人々は穀粒をオーク材の椀に入れて手作業で挽きつぶし、ふくらまないパン生地を裸火で焼かねばならなかった。多くの家庭ではこの貧弱なパンさえ口に入らなかった。

さらに悪いことに、ラビ・ベニシュの家には家族同士の果てしない不和があり、その諍い(いさか)いは長年にわたってくすぶり続け、一六四八年以前から続いていた。

ラビの長男、オゼルは役立たずで、学問はできず、怠け者だった。五十歳になろうとしていたが、相変わらず妻や子供たちとともに父の家で居候をしていた。オゼルは背が高く、猫背で、身のこなしがすばやく、短気だった。皺くちゃのベルベットの帽子はいつも斜めになっていて、シャツの前をあけ、チョッキはボタンをかけず、汚れていた。鼻はくちばしのように曲がり、鳥みたいな二つの大きな目、そして麦わら色でぼさぼさのあごひげをしていた。一六四八年以前にはオゼルはよく何日も立て続けに居酒屋に腰を据え、チェスをしたり、サイコロ賭博をして、ありとあらゆるうわさ話や悪口に花を咲かせていた。妻や子供たちのことはまるで考えず、まじめな抱負もなく、いつも指にチョークを一本はさんで、通りかかったどの戸棚やテーブルにもたえず計算を書きつけていた。彼は今も一六四八年以前と変わらぬ浮ついた人間だった。ラビはオゼルが嫌いで、めったに言葉をかけなかった。オゼルは台所で女たちと坐り、ストーブで体を温めて、鍋をのぞき込み、しまいに彼の母親であるラビの妻がほうきで追い払って、こう叫ぶのだった、「恥ずかしくないのかい、いい歳の男が！ああ、世間さまに顔向けできやしない！」

ラビの末の子供、レヴィは三十代で、兄とはまるで異なっていた。背が低く、ジプシーのように浅黒くて、清潔そのもので、堂々とした態度の高慢な男だった。丸みのあるあごひげには丁寧に櫛を入れ、脇髪は上品ぶった巻き毛だった。レヴィは上等な衣服をルブリンから持ち帰っており、サテンの飾りをあしらった花柄の絹の部屋着にポンポン飾りのついた上履き、そしてつやつやした新しいベルベットの帽子をかぶって、みすぼらしいゴライの町をぶらついた。足取りは規則正しく、家では家族のほかの者たちとほとんどつき合わず、めったに父の部屋には入らなかった。母親はおいしいものを彼の奥まった小部屋に届けさせ、たらふく食べさせて甘やかし、とうとうオゼルと彼の子供たちの妬みを掻き立てることになった。その上、レヴィの妻ネヘレは金持ちの商人の一人娘だった。彼女の父親はナロール〔ポーランド南東部の町。コサックによる虐殺があった〕で虐殺があったときにその町で殺された。ネヘレはルブリンの裕福な親戚の家で育てられたのだった。彼女は以前していたとおりにふるまい、午後遅くまでベッドに横たわって、牛乳を入れた水差しを姑が女中に持たせて寄こすのを待っていた。ネヘレは自分に子供ができないのを美点と考えてさえいた。週日に絹のスカーフと金の耳飾りをつけた。細い指は指輪だらけだった。やせて、胸は平たく、貴族的な容姿で、頬は不健康な赤味をおび、泣くせいで視力が衰え、文句を言い続けて、粗野な家に身を落としたと不平を言いやめなかった。薄い唇でたえずぶつぶつとつぶやき、鼻に皺をよせて、あたかも胸の悪くなるゴライのにおいがたまらないと言わんばかりだった。彼女は自分と夫に与えられた部屋を豪華に飾り立てた。壁にはさまざまな油絵が掛けてあった。「イサクの犠牲」、「律法の板を持つモーセ」、「胸当てと聖職衣を着けた大祭司アロン」といった絵だった。ベッドには小さな枕があちこちに置いてあった。刺繍をほどこしたぶ厚いカーテンが窓に掛かっていて、夫婦の寝室は常に薄暗かった。ネヘレは、刺繍入りのブラウスを着て貴婦人のようであり、片手に羽ぼうきを持って、ほこりやクモの巣を探し出し、夫に声をかけては憂鬱そうなため息をついて、不満の火種を絶やさずにいた。

他方で、オゼルの妻と子供たちは粗末な服を着て、混み合った部屋で暮らし、食事は大きな台所で召使の小娘といっしょに食べた。彼らに加えてラビ・ベニシュの家には、コレラが流行ったときにルブリンで死んだ娘たちの残した孤児が数人いたし、離縁になった娘が一人いた。こうした者たちがみな、レヴィと彼の妻に対して無言の反対活動をしており、その憤りをラビの妻に向け、彼らはラビの妻がレヴィに屈してしまったと考えていた。さまざまなグループもまた仲たがいして、陰でこそこそ言い合い、以下の者たちが敵対関係にあった。ネヘレとラビの妻。ネヘレと義姉。兄弟二人。孤児たちと祖母。ネヘレに関しては、夫を魔法でたぶらかして彼女に惚れ込んだままにして、彼女の誤ったやり方に従わせている、と言われていた。オゼルの妻が誓って言うには、ネヘレは薬草を集めるために安息日の夜になると出かけるのだった。彼女が魔女のクンネグンデに会おうと入っていくところに出くわしたという者もいたが、この魔女は町はずれの、キリスト教徒の墓地近くに住んでいた。

過去に、ラビ・ベニシュは努めて家族を仲良くさせようとした。ラビは口論の罪が心配で、家庭に降りかかる災厄がことごとくこの掟違反から生じるとわかっていた。しかし今、老いたラビにはもはや和解させる力がなかった。彼に残された年月は限られており、整えておくべきことがらがたくさんあった。仕上げねばならない仕事をいくつか抱えていた。その上、一六四八年と一六四九年の過酷な迫害が彼の心のうちに昔からの逆説を再び目覚めさせ、信仰、宿命と自由意志、そして義人の苦しみに関する矛盾が今一度頭をもたげた。ラビ・ベニシュは一人きりで坐り、閉じこもって、もはや金曜日の夜に妻の寝室を訪れることもしなくなった。まれに家族の者が彼の部屋に入ってきて、言いつけたり告げ口をしたりし始めると、ラビ・ベニシュはすっくと立ち上がるのだった。あごひげが生き物のように跳ね、彼は片手でオーク材のテーブルを叩き、もう一方の手でドアを指さした。

「出て――いけ！」と彼は大声で言うのだった。「話は十分に聞いた。疫病神ども！」

第3章 いくつかの尋常ならざるうわさ

ここ何年ものあいだ、いくつかの尋常ならざるうわさがポーランド中を席巻していた。ラビ・ベニシュはまだルブリンにいたあいだに、いくつかの驚嘆すべきことがらを耳にした。男たちはみな、エルサレムのラビからの使節バルフ・ガドについて論じ合っており、この男は砂漠を旅していたときにサムバチオン川〔神が作ったとされる伝説の川〕の向こう岸に渡ってしまったというのだった。彼は〈失われた十支族〉[*1]からの羊皮紙の手紙を持ち帰っており、それはおそらくアザリヤ〔「列王記下」第十五章一‐七節〕の子、ユダの王アヒトヴによって書かれたものだと言われた。この手紙によると、世の終わりは間近だった。この文書の写しが〈イスラエルの地〉[*2]の数人のユダヤ人の手にあり、彼らは金を集めながら各地を行きめぐった。

＊1　紀元前七二二年にアッシリア帝国の虜となったままついに帰らなかったとされるイスラエルの十の支族で、彼らはサムバチオン川の向こう岸にいるという伝説がある。サムバチオン川を渡って十支族が帰還することは、しばしば終末とメシア到来に結びつけられた。〔水声社「サムバティヨン川」『ユダヤ小百科』参照〕

＊2　ユダヤ人の「約束の地」、「聖地」。パレスチナを指し、特に〈イスラエルの地〉以外の〈流浪の地〉との対比で用いられる。ユダヤ人は紀元前六世紀にバビロニアによって、また紀元七〇年にはローマ軍によってエルサレムの神殿を破壊され、世界に離散し、流浪の日々を送った。

ポーランドやほかの国々のもっとも偉大なカバラー〔ユダヤ教神秘思想〕学者たちは、〈ゾーハル〉〔カバラーの中心的著作〕や古いカバラーの書物のなかに、流浪の日々の残りは限られていると証明する無数の言及があると明かした。フメリニツキーによる虐殺はメシア〔救い主〕の産みの苦しみである。ある秘密の定式によれば、これらの苦しみは一六四八年に始まるよう定められており、現在の年の終わりまで続き、そのとき全面的で完全な救済が訪れるだろうというのだった。

こうしたことがらはすべてひそかに語り合われ、知らせは耳打ちで伝えられて、理解力の限られている女や学識のない男たちのあいだに騒ぎを起こさないよう配慮された。それにもかかわらず、一般民衆にもまた彼らなりのやり方があって、ユダヤ人に必ずや訪れるはずの救いを予測していた。

ほとんどあらゆる町でだれか一人が駆けまわって、ユダヤ人はみなすぐに救済されるだろうと証言した。ある者たちは大きな雄羊の角笛(つのぶえ)が吹き鳴らされるのが聞こえると宣言し、現世の終わりを示しているのだと言った。目を覚まして神に立ち戻れと言う者たちもいて、他者の罪のみならず自らの罪をも数え上げた。さらにまたほかの者たちは、通りで踊って喜び、太鼓を打ち鳴らした。

ごく普通の女たちが驚くべき夢を見た。亡くなった親族が彼女たちに、間もなく起きるだろう奇跡についてすっかり語った。寝ても覚めても人々は、ロバの背に乗る、メシアであるはずの例の貧者を見た。預言者エリヤ〔旧約聖書に登場する預言者。メシア到来の先触れをすると考えられている〕が「救いが世に来たる!」と呼ばわるのを聞いた。大きな雲がおりてきて、ユダヤ人がみな妻子ともどもそれに乗って、エルサレムへと飛んだ。彼らより先に、祈りの家と学びの家が飛んでいった。ベヘフ出身の召使の小娘が語ったのは、うたた寝をしていたら天に届くほど高く太陽のように明るい、燃えるような建物が見えた、ということだった。その周囲では、絹の衣服をまとい、敬虔な者たちのかぶる毛皮の帽子をかぶったユダヤ人たちがひざまずいて、安息日の讃歌を歌っていた。彼女の主人は学識のある男で、ただちに察して、その小娘が天上の神殿とそこに仕えるレビ人たち（旧約聖書の族長ヤコブの子レビを祖とする祭司族の人々）を目にする価値ありとみなされたのだと悟った。主人は彼女をともなっていくつもの共同体をめぐり、見たものを彼女が語れるように取り計らった。キリスト教徒の占い師たちが明かしたのは、彼らが一度ならず東の空に、ほかのあらゆる星々と争う小さな星を目撃し、その星が次第にほかの星々を吸収してどんどん大きくなり、ついには月の大きさになったということだった。これは予兆ととらえられて、諸民族のなかでもっとも小さくもっとも卑しいものが世の人々を打ち負かし、彼らを治めることになるしるしと考えられた。キリスト教の司祭たちもまた、天上でハルマゲドンの戦い*がおこなわれ、イスラエルが勝利するのを見たと証言した。

＊　新約聖書「ヨハネの黙示録」第十六章十六節に言及があり、善と悪の最後の決戦（場）のこと。作中のこの個所はキリスト教司祭の発言なので新約聖書の「ハルマゲドンの戦い」でも良いかと思われるが（ユダヤ教にとって聖書とは旧約聖書をいう）、イディッシュの原文では四四ページ、一三三ページと同様にここも、「ゴグとマゴグの戦い」となっている。ゴグとマゴグについては旧約聖書の「エゼキエル書」に言及があり、「メセクとトバルの大君であるマゴグの地のゴグ」（「エゼキエル書」第三十八章二節）がイスラエルを襲い、神により滅ぼされると預言されている。また別の伝承では、イスラエルに敵対するゴグとマゴグがメシア到来の直前に大きな災いをもたらす戦いを起こすとされている。

不可解なできごとがいたるところで起きた。町から町、国から国へとさすらう放浪者たちは、ボヘミアで火打石が雨あられのように降ったと話した。トルコでは暴風雨のさなかに巨大な蛇が空から身をくねらせて現れ、多くの町を制圧し、ユダヤ人の敵をおおぜい殺した。シェブレシンでは水運び人が天の声を聞き、プラヴでは一匹の魚が叫んで、「聞け、イスラエルよ！」〔「申命記」第六章四節の冒頭部分。ヘブライ語の最も重要な祈りの一つでユダヤ教の信仰告白〕と声を上げたが、それは安息日の夕べの食事のために鱗をそいでいるときのことだった。いく人かの者たちはホレブ山〔モーセが神から十戒を授かった山。シナイ山〕からの声を聞き、「戻れ、わが強情な子らよ！」という叫びを耳にした。ある罪深い高利貸しは、この天の声が三度にわたってやって来たので、妻子を捨てて、腰に粗布を巻き、流浪の旅に出た。彼は行く先々のあらゆる町で学びの家の敷居に身を横たえ、出入りする人々はみな彼を踏んで彼の顔に唾を吐かねばならなかったが、そのあいだ彼はむせび泣いて、自らの悪事すべてを告白した。大いに強調されたのは、こうした恐ろしい時代にあって、ユダヤ人が苦しめられ、町から町へと追われているときに、キリスト教からの改宗者の数があらゆる国で増えているという事実だった。きわめてしばしば、改宗者はひそかに割礼〔ユダヤ教の掟で、男根の包皮を切除する〕を受けて聖なる教えの軛を負い、そのせいで〔キリスト教社会から〕厳しい罰を受けることもいとわなかった。こうしたことはみな明らかな予兆であって、長く暗い隷従の夜が終わりつつあり、解放のときが迫っているしるしだった。

しかし人々がもっとも頻繁に口にしたのは一人の偉大で神聖なる者、サバタイ・ツェヴィについてで、彼こそはイスラエルがこの千七百年のあいだ待ち続けていた人物であり、ほどなく正体が明かされるであろうとのことだった。ある人々の主張では、彼は〈ヨセフの子、メシア〉であり、もろもろの宗教書が示すように、真のメシアの先駆けとしてやがて殺されることになるのだった。ほかの人々は、〈ヨセフの子、メシア〉はレブ・アブラハム・ザルマンという人物としてすでにやって来たのだと論じ、その人物はティシュヴィッツで命を落とし、神の御名の聖化のために殉教したのだから、サバタイ・ツェヴィが真のメシア、すなわち〈ダビデの子、メシア〉であろうと言った。彼についてはさまざまなうわさが広がっていた。エルサレムの宮殿で暮らしていると言う者たちもいれば、弟子たちとともに奥深い洞窟に隠れていると言う者たちもいた。ある人々は、彼が絹の鞍をつけた馬に毎日乗って、その前を五十人の使者が走っているのを事実として知っていた——ほかの人々の知るところでは、彼は安息日から安息日まで断食をし、自分の体を痛めつけ、もっとも過酷な責め苦で苛んでいるのだった。使節はみなそれぞれ異なる話を持ってきた。ルブリンまで放浪していったある西欧生まれの者は断言して、サバタイ・ツェヴィはヒマラヤ杉のように背が高く、金、銀、宝石を身にまとい、顔は輝いているから見ることができない、と言い切った。どこか遠く離れた土地から来たあるタルムード学者は、サバタイ・ツェヴィはラビたちと論争をしており、ラビたちは彼を神聖冒瀆だとして破門したと明かした。サラという娘についても大いに話題となったが、彼女はポーランドの出で、コサックたちのところから逃げ出したのちに預言して、自分はメシアの妻になる定めであると言った——そしてサバタイ・ツェヴィと結婚したのだった。彼女は控えめで神を畏れる敬虔な女だと明言する者たちがいる一方で、売春婦だったよとささやく者たちもいた。

ラビ・ベニシュはこれらのうわさや風説を承知していたが、彼は「アモス書」の一節を心にとめた。「それゆえ、このような時には賢い者は沈黙する」〔「アモス書」第五章十三節〕——そして彼は沈黙をまもった。ルブリンに住んでいたときに、ラビ・ベニシュは何も聞いていないふりをした。何年ものあいだ、彼はポーランドのユダヤ人社会が誤った道を歩んでいるとわかっていた。彼らは隠されているように意図されたことがらを深く探求しすぎる。聖なる教えという澄んだ泉から飲むことがあまりに少ない。聖書とヘブライ語の研究を軽視している。初期の注釈者たちをめったに読まない。若者たちは、ピルプル〔タルムードの研究・解説の綿密で細かい論争方式〕の曲がりくねった道でまごつき、百もの難問題を一つの答えで解いてしまおうとする。彼らは真の学識をばかにして、取るに足りないものとして片づける。二十歳にもならない少年たちが、まだ未熟な理解力ですでに神秘主義の著作を読みふけり、〈命の宝物〉〔カバラー思想家ハイーム・ベン・ヨセフ・ヴィタル（一五四二～一六二〇）の著作『命の木』のこと〕や〈天使ラジエル〉〔『ラジエルの書』という神秘主義、宇宙論、魔術に関わる書物が一七世紀に編纂されている〕、そして〈ゾーハル〉、さらにエゼキエル書にある〈神の戦車〉〔エゼキエル書第一章参照〕の神秘についての解釈を読みあさる。男たちは家族を捨てて世界を放浪しながら、流浪によって魂を浄めている。十三歳の少年たち〔ユダヤ教では男子は十三歳で宗教上の成人とみなされる〕が冷水の沐浴に身を浸す。ポーランドのユダヤ社会には禁欲主義者があまりにも多く、隠遁者や魔除けを書く者、奇跡をおこなう者たちが多すぎる。ラビ・ベニシュ自身は哲学を学び、〈迷える者のための手引き〉〔中世最大のユダヤ学者マイモニデス（一一三五～一二〇四）の哲学書〕や〈クザリ〉〔十二世紀の詩人・哲学者ユダ・ハレヴィの哲学的著作〕、〈心の義務〉〔十一世紀の宗教哲学者バヒヤ・B・ヨセフ・イブン・バクダの著作〕、〈プリンキピア〉に精通していて、ラビ・イサク・ルリア〔一六世紀のカバラー学者〕のカバラー主義の著作を嘆かわしく思った。彼の見るところ、それらは矛盾があり、みだらだった。一六四八年以前に、ゴライで暮らしていたころ、ラビ・ベニシュは警戒を怠らず、この悪疫〈彼は思索のなかでしばしばそう呼んでいた〉が広まらないように用心していた。ひそかに彼は木で装丁されたカバラーの書物を学びの家から持ち出して、自分の家に隠してしまった。年長の少年たちのためには彼みずから課業を朗誦し、まちがいなく彼らが意味をはっきりと理解するようにした。そして彼らがピルプルに熱中するのを許さなかった。ラビ・ベニシュは彼らに指示して、聖書の預言書や諸書〔旧約聖書中モーセ五書と預言書に属さない書〕を読んで覚えてしまうように命じ、少年たちにヘブライ語の文法を教えたが、しかしながらこれはポーランドではほとんど背教に等しいと考えられていた。もしもっと若いラビがあえてこれをやったなら、町から追い出されてしまっただろう。だがラビ・ベニシュ・アシュケナジは尊敬されていた。有力な市民たち――資産があり、あらゆるものごとにおいて常識と中庸を好む人々――がラビ・

ベニシュに味方して、熱狂者たちとの戦いにおいて彼の側についた。若者が閉じこもって神秘的教義の研究に没頭すると、鞭打たれたり、あるいは祈りの家に姿を見せることを禁じられて、最後には会衆の前に靴を脱いで立ち、二度と共同体から孤立しませんと約束することになるのだった。ときおり、カバラーの達人、彼らは壁からぶどう酒を引き出したり、病人を治したり、死者をよみがえらせることさえできるわけだが、そういう者たちがゴライに姿を見せることがあった。しかしラビ・ベニシュは長く滞在することを許さなかった。自発的に立ち去ることを拒否する者は、強制的に出ていかせた。ある程度の不満の声はあって、ラビ・ベニシュの敵たちは彼がカバラーを信じていないと主張するのだった。

かつて、だれかわからぬ者たちがラビ・ベニシュを中傷する張り紙をしたことがあった。しかしラビは自身のやり方を堅持し、こう主張した。「私が生きているかぎり、ゴライに偶像崇拝は存在しない！」

ラビ・ベニシュにとって、一六四八年と一六四九年の不幸はポーランドユダヤ人にくだされた罰であって、彼らが律法に忠実でなかったから起きたのだった。彼には確信があって、いったん迫害が過ぎ去れば人々は先祖の道に戻るだろうと信じていた。しかし今や苦難が過ぎ去っても期待が実現しないのを見て、ラビは内にこもって何も言わなかった。神慮は別のことを意図しておられると気づいたからだった。天が何を望んでおられるのかわからないのだから、慎ましく黙従しよう。日々知らせが届き、予期されたものであることは決してなく、同じものでもなく、しばしば前日の知らせと矛盾している。ますますユダヤ人は党派に別れていく。偉大なラビたちでさえ合意に達することができないでいる。それにまた、病と大惨事のこの時代は人々に説教をするべきときでもない。

そしてラビ・ベニシュはルブリンから戻り、丘陵のただなかにある町、なかば廃墟となり、世界から切り離された町へと帰ってきた。そこでこの老人はノアの箱舟よろしくみずからの内に引きこもり、悪い時代を孤独のうちに耐えた。ごくまれにラビ・ベニシュが家の敷居をまたぐことがあった。彼は周囲を見まわし、通りかかった荷運び人や男子生徒に尋ねるのだった。

「終わりはどうなるのだろう?」

「神は何を望んでおられるのか?」

第4章　ゴライの今昔

一六六五年十月。[*] どしゃ降りの雨が一週間降り続き、その週は毎晩猛烈な風が吹いて、まるで七人の魔女が首を吊ったかのようだった。豪雨は地下室を水浸しにし、壁から漆喰を洗い流して、かまどの火を消した。森では多くの木が根こそぎ倒れた。ゴライの近くを流れる急流は流れを妨げられて、低い土地にあふれ出た。風車の羽根が鎖から引きちぎられてしまい、そのため食べ物が高値となった。ゴライにいる少数の豊かな人々や、夏のあいだに食料をたくわえておいた人々は家に閉じこもったままで、会衆に混じって礼拝するのを恐れ、貧しい人たちの悲惨なありさまを見たり不満を聞かされるのではないかと心配していた。彼らは羽根布団の下でまどろみ、あつあつのあら挽き穀物に舌鼓を打ち、タバコをくゆらせて、昔の定期市や、頭のおかしい浪費家の貴族たちの夢を見た。泥棒が怖いので、彼らは夜になってもランプを灯さず、ほんのちょっとしたことで財産や品物を地面に埋めて逃げ出すのだった。貧しい人々のストーブの上では、鍋が空っぽのまま冷えきっていた。道は危険で、あえて町に乗り入れる荷馬車は一台もなかった。ごくまれに、小さな袋を背中にかついだ農夫が滑るように視界に入るのだった。彼は膝の上まで泥につかり、重い足取りで店から店へと歩いて、ひと握りのライ麦をどこに売ろうかと思案した。男物のようなブーツをはいた女たちが、破れたショールで頭をおおって、のろのろ出てきて彼を出迎えるのだが、まるで穴から這い出す芋虫のようだった。女たちは彼の両腕を引っ張って、何時間も値切り、しまいに彼女たちの歯のない口が寒さで青くなるのだった。

* 英語訳では一六六六年十月とされているが、正しくは一六六五年十月であると指摘されている（Chava Turniansky, "The Sources of Yitskhok Bashevis-Zinger's Der sotn in goray," *Isaac Bashevis Singer: His Work and His World*, Brill）。シンガー自身はユダヤ暦を用いて五四二六年と記しており。ユダヤ暦では

新年が西暦よりも早く九月〜十月にあたるティシュレイの月に始まるので、英語訳で西暦に変換する際に混乱が生じたと思われる。なお八六ページで英語訳者は五四二六年に〔一六六五〕との注記を加えている。

「罰（ばち）でも当たるがいいよ、だんな」、と彼女たちはあざける口調で、半分はイディッシュ、半分はウクライナの言葉で言いくるめるのだった。「パロにくだった災い〔パロは古代エジプト王の称号。「出エジプト記」第七章〜第十四章参照〕が降りかかればいいのさ！」

ゴライは騒然としていた。使い走りで遠くの村に向かった者が〈仮庵の祭〉の翌日に出発したが、いまだ戻らず、農夫らが彼の持っていた三十グロシェン〔小銭の単位〕ほどの金を狙って殺したといううわさが立った。農場から農場へと行きめぐって農産物を買い集めていたある若者は、まったくの奇跡のおかげで命拾いした。ある農夫のサイロ〔飼料用の穀物等を貯蔵する倉庫〕で夜を過ごしていたとき、彼はその家のあるじが凶悪な顔つきで手斧を研いでいる音で目を覚ましたのだった。体力の弱った者たちが衰えていき、一人、また一人と死んでいった。人が亡くなるたびに〈堂守り〔ユダヤ共同体やシナゴーグなどに奉仕する役職〕のグルナム〉が朝早く町をくまなく走った。大急ぎで、彼は一軒一軒の雨戸を木槌で二度叩いて合図し、家にある水の導管から水をそそぎ出して悪霊を阻まねばならない〔悪霊の姿がそこに映らないようにするためである〕、そして家の者たちは葬式の準備をするように、と知らせた。

ラビ・ベニシュは、窮乏の際には貧しい者たちとともにいようと力を尽くした。布告を出して、豊かな者が十分の一を分け与えねばならないとし、パンや穀物のあら挽き、黄色いエンドウや豆、亜麻仁油、薪を分配せよと命じた。火曜日になると、公共心のある市民二人が十分の一税用の袋を持って町をめぐった。しかし物の値段が高いので人々はけちになり、食べ物を隠した。食肉は不足するはずがなかったが、それは子牛の値が安かったからである。しかし以前の屠畜人〔儀式屠畜人。食用の動物・鳥類の屠畜はユダヤ教の戒律に則った専門の屠畜人によらねばならない〕が殺されてしまっており、ゴライに暮らす新たな屠畜人はいなかった。家畜を屠りたい者はだれでも、家畜を追い立てながら何マイルも離れた屠畜場まで行かねばならなかった。

昔のユダヤ人町ゴライの面影はなかった。かつては万事が整然としたやり方で進んでいた。以前は親方が弟子と並んで仕事に励み、商人は商いをした。義理の父が食事と住まいを与え、婿は聖なる教えの研究をした。少年は学校へ出かけ、少女の家には女性教師が訪れた。レブ・エレアザル・ババドと町の七人の長老たちが町のあらゆるできごとに鋭く目を光らせていた。罪を犯した者は法廷に引き出された。法廷の裁定に従わない者は鞭打たれるか、あるいは祈りの家の控えの間でさらし台にかけられた。木曜日と金曜日には、困窮した者たちが家から家へと袋を持って行きめぐり、安息日〔ユダヤ教では金曜夕刻から土曜夕刻まで〕の食べ物を集めた。安息日当日には町の良き婦人たちがまわって、貧しい人々のために白いパンと肉、魚、果物を集めた。もしも貧しい男に娘がいて、十五歳を過ぎても未婚だったならば、共同体が手を尽くして嫁入り支度を整え、孤児の若者か年配の男やもめに嫁がせた。その花婿が結婚式で受け取る金は彼らが数か月暮らすのに十分な額だった。そのあと、その男はなんらかの仕事をするか、共同体が証明する貧困者だという書きつけを持って地方をめぐった。もちろん、ありとあらゆる不幸が起きた。おりおり夫と妻が諍いを始め、離婚のためにヤヌフまで旅していかねばならなかった――というのは、ゴライの小川には名前が二つあり、厳密に掟の文言どおりに離縁状を記すにあたって、ゴライの位置を示すためにはどちらの名前を用いるのが適正なのかだれも知らなかったからだった。（「何々という川沿いにあるゴライの町。」）ときどき男が家を出て妻を置き去りにしたり、どこか果てしない水域のいずこかで溺れて、遺体はまず見つからないだろうということがあった。そうした場合、寡婦は再婚できなかった。毎年〈過越しの祭〉*の前には大騒動が起きて、それは過越しの祝いの小麦についてで、共同体が独占販売権をだれか有力者に与える――するとその人物は結局いつでも、あら挽き粉にもみ殻を混ぜて売ったと非難されることになるのだった。たいていの場合、彼は徹底的にののしられ、その年を切り抜けられないことになった。それにもかかわらず、翌年になると決まってまた別の人物が〈過越しの祭〉で儲けたと発覚した。毎年〈律法の喜び〉〔〈仮庵の祭〉の最後の日に行なわれる祭で、一年かけて読み上げるモーセ五書の周期が終わり新たな周期が開始される〕の日に、仕立て職人の祈りの家でけんかが起こり、だれが栄誉を担って先頭に立ち、トーラーの巻物を抱えて聖書台のまわりをめぐるかを争った。その後、埋葬組合が祝宴で酔っ払い、皿を割るのだった。年に数回、はやり病があって〈墓堀人のメンデル〉が数ギルダー〔オランダ・ドイツ・オーストリアで使われた旧金貨・銀貨〕を余分に稼いで終わった。しかしそうしたことは、結局のところ、世のならいである。ゴライのユダヤ人は村のキリスト教徒たちと平和に暮らしていた。町そのものにはキリスト教徒はほんのわずか住んでいるだけだった。安息日のキリスト教徒が一人いて、欠かせない仕事だが安息日のユダヤ人には禁止されている仕事をこなした。そして沐浴場係が一人、ほかに数人が脇道で暮らしていたけれども、彼らの家は高い柵で囲われていて、自分たちの存在が目立たないようにしていた。

* ユダヤ暦のニサンの月（西暦の三月〜四月）の十五日に始まり、七日間（イスラエル以外の地では八日間）行なわれる。イスラエル民族が奴隷にされていたエジプトからの解放を記念する祭。〈過越しの祭〉の期間中はパン種入りのパンを食べたり所持したりしてはならない。

キリスト教の祭日の前には、おおぜいのキリスト教徒がゴライを通り抜けて聖堂へ向かうのだが、詣でる人々に少年たちが樽いっぱいの甘く味つけした水をいたるところでせっせと売っていた。ゴライの定期市はその地方じゅうで有名だった。農民たちが近隣のあらゆる村から定期市に乗りつけてきた。馬がいななき、雌牛がモーモー鳴き、ヤギはメーメーと声を上げた。馬の売買人――屈強なユダヤ人たちで、夏でも冬でも重たい上着を着て羊皮の帽子をかぶっていた——が足をけり上げる種馬を飛び上がってつかまえた。彼らはどんな農民にも負けないほど荒っぽく叫んだ。血まみれの手をした屠畜人たちは、鋭いナイフをベルトに挟み、農耕にはもはや向かない縛られた牡牛たちの角をつかんで引きずるのだった。当時、穀物商人の貯蔵庫はいつもいっぱいで、腹の白い太ったネズミがそこでごちそうにありついていた。居酒屋で出す田舎のウイスキーには大量の水が混ぜられていた。市のあいだじゅう、ハムの子*らは彼らなりのやり方で楽しんだ。彼らは彼らの女たちと踊り、床を踏み鳴らし、口笛を吹き、みだらな歌を歌った。女たちは金切り声を上げて腰を揺らし、男たちはけんかをして力自慢のこぶしを振りまわした。そしてユダヤ人が売らない商品などあったろうか！　女ものの花模様のショールとスカーフを売った。卵をはさんだパンに、長くて白いねじったパン。子供用の靴と腰まで届く防水長靴。香辛料とナッツ。鉄製の轭と釘。金メッキした婚礼の贈答品と既製服。夜警のための呼子とクリスマスイブの仮面。たしかに、かなり頻繁にラビ・ベニシュはユダヤ人に禁じて、キリスト教を表現する品を扱わぬように言っていた。それにもかかわらずひそかに販売は続けられ、表紙やページに金がほどこされた祈禱書やろうそく、さらには頭のまわりに光輪のついた聖人たちの聖画さえ商っていた。人目につかない市の片隅ではゴライに暮らすわずかなキリスト教徒がいて、ビートのような褐色のサラミソーセージや豚〔ユダヤ教では豚を食してはならない〕の白い脂身を売っていた。一度、こうるさい若者が彼らの近くを通りかかり、あたかも何かにおうかのようにこれ見よがしに鼻をつまんだ。そのあと、彼は不機嫌そうに、「異教徒（ゴイ）はたしかによく食うな……一マイル先からにおうぜ！」と言った。

＊　農民たち、すなわち非ユダヤ人を指す。ハムはノアの息子で、「創世記」第九章十八節に「箱舟から出たノアの子らはセム、ハム、ヤペテであった。ハムはカナンの父である。この三人はノアの子らで、全地の民は彼らから出て、広がった」とある。カナンはイスラエル族が征服する前にパレスチナに住んでいた人々。ユダヤ人の父祖アブラム（アブラハム）はセムの子孫。

晩になると素面（しらふ）の農民は帰っていった。酔った連中は居酒屋から放り出されて泥のなかに投げ込まれ、腹を立てた女房たちが耳をつかんで家に引きずって帰るのだった。暗くなった市の丸い広場は一面に糞だらけで、そこから肥やしくさい田舎のにおいが立ちのぼった。ユダヤ人の家では石油ランプやろうそく、たきつけが灯された。とてつもなく大きくて深いポケットのあるエプロンを着けた女たちは手のひらに唾を吐いて邪視〈災いをもたらすとされる視線〉を払ってから、鍋に移し替えた銅貨を熱に浮かされたように数えた。金を数えない家には幸運という祝福がもっと入ってきやすいと思われていた。ゴライのユダヤ人には必要なものがとても多かった。婿のために賄いと部屋が必要だったし、花婿への贈り物も入り用だった。花嫁にはサテンのドレスとベルベットのコート、男たちには毛皮の帽子と絹のコートが必要だった。祭日に欠かせないものもあった。〈仮庵の祭〉には柑橘（かんきつ）類の果物、〈過越しの祭〉には白い、パン種を入れぬパン、〈灯明の祭〉＊にはオリーブ油。ユダヤ人は性質（たち）の悪い領主に貸す金が必要だったし、ユダヤ人に対して悪意ある中傷を言いそうな者たちを黙らせる金が入り用だった。たびたび調停者をルブリンに送らざるをえなかった。そしてそれから共同体の経費があった。ゴライの町はラビとラビの助手を抱え、堂守りや学校の教師たち、儀式屠畜人が一人、そして慈善にたよる学生が十人、加えて儀式沐浴場の世話人が男女別に一人ずつ、そのうえ養護所には貧民と病人がいた。そしてどれほどたびたび、ゴライ、世界の果てにあるこの町が、略奪されたり焼け落ちたりしたほかの共同体に金を送らねばならなかったことか！

＊ ハヌカー。キスレヴの月（西暦の十一月～十二月）の第二十五日に始まり、八日間続く祭。紀元前一六五年のシリアに対するユダヤのマカベア一族の勝利を記念する。戦いののち、シリア王アンティオコスによって穢された神殿を再奉献したとき、穢されていないわずかの油が八日間燃え続けた奇跡にちなんで、八枝の燭台に八日にわたって一つずつ火をともしてゆく。

当時ラビ・ベニシュは王のようにゴライに君臨していた。人々は簡単な質問ならラビの助手のところに行き、ラビ・ベニシュのところには複雑な質問や訴訟にかかわるときだけ尋ねにいった。ラビ・ベニシュは上着の袖をまくりあげては掟の厳密な文言通りに裁定を下し、だれとも相談しなかった。一度ならず安息日の前夜に〈堂守りのグルナム〉が雨戸を一軒一軒叩いてまわらねばならなくなり、沐浴場が不浄であるから、男たちはその日にそこで沐浴をした女房たちから離れていなければならないと知らせた。しばしばラビ・ベニシュは、食べるには適法でない動物を適法と判定したことにあとになって気がついた。そうなると町の主婦たちの半数が陶器のうつわを砕かねばならず、鉄鍋は熱湯消毒し、スープや肉を台所屑の山に空けねばならなくなった。暮らすのは楽だったし、当時はユダヤ人らしさが高く評価されていた。

しかし今、ゴライは落ちぶれていた。最良の市民たちは惨殺されてしまった。残った男たちの大半は若かった。一帯は落ち着いたけれども、新たな厄災への不安は決してユダヤ人を去らなかった。最悪だったのは、団結がもっとも必要なこのとき、めいめいが思いどおりにふるまい、もはや公共の責任を分かち持とうとしなくなったことだった。何度もラビ・ベニシュは町民集会を招集したが、町の人々は居眠りをするか、壁に向かってあくびをするばかりだった。彼らはすべてに賛成したが、何ひとつ実行しないのだった。彼が語りかけることのできる人物を見つけるのはほぼ不可能だった。ラビ・ベニシュは息子たちのことを考えたが、今ほど彼らに嫌悪感を抱いたことはなかった。オゼル、あの抜け作は、何日も立て続けに台所に御輿(みこし)を据え、だらしない身なりで羽毛まみれになって、自分の子供たちと〈ヤギとオオカミ〉〔盤上でおこなうゲームと思われる〕をして遊び、自分の好きな料理を母親が作ってくれないと言って母親と口げんかをする。レヴィと彼の妻は、まるで二匹の大きなクモが邪悪なクモの巣をかけているみたいに、ほかの者たちから離れて不機嫌に自分たちの暗い部屋にこもり、いつでもカーテンを引いて、ドアを閉ざしておる。

第5章　**女とラビの使節**

メシアの時代が近づきつつあるというらわさが、ゴライ、あの、世界の果ての丘陵のただなかにある町をさえ徐々に目覚めさせた。

ある非常に敬われている女が、もう何年も夫の行方を捜し、それと同時に寄付を集めながら旅を続けていたが、その女が語るには、ポーランドのあらゆる地方で人々が流浪は終わりに来たと言っているというのだった。聖地では木々が巨大な果実をつけ始めたのよ、そして死海の塩水のなかに金色の魚が突如として現れたわ。その女は家から家へと行きめぐった。サテン顔はキャベツの玉みたいに皺だらけだったが、黒い眼は若々しく、きらめいていた。サテンの紐が彼女の山の高いボンネットから下がっていて、さらさらと音を立て、長いイヤリングが耳たぶで揺れ、唇は――薄くて鋭く――救いと慰めの確約を口にした。いたるところでその女は、勤勉な主婦たちが夏のあいだにたくわえておいた果物の砂糖煮を味わい、曲がった、ラビのような鼻をかみ、そして袖にある絹のひだで涙をぬぐったが、涙は彼女のしわだらけの頬をきらきらと滑り落ちて、たっぷりしたサテンのコートについているさまざまな飾りのあいだで輝いた。その女は蜂蜜ケーキと祭日のにおいがして、はるか遠くのユダヤの町々や良き知らせの香りを漂わせた。〈イスラエルの地〉についてあたかもたった今そこから戻ってきたばかりのようにしゃべり、聖なる土地がかつてはまるで鹿の皮みたいに縮まっていたけれども、今では日ごとに広がっているのだと言った。モスクは地中に沈みつつあり、トルコ人は逃げ出したり、まだ時間のあるうちに改宗したりしているわ、というのもあとになって、メシアが来られてからでは、改宗者はだれも受け入れてもらえないだろうからよ。ポーランドですら、貴族たちがユダヤ人に好意を示しつつあって、贈り物を浴びせているけれど、それはイスラエルの子らがほどなくあらゆる民族の上に上げられることになるだろうとすでに聞き知ったからなの。おおぜいの女たちが彼女のあとについてまわり、飽きることなく次から次へと質問した――そして彼女は聖なる言葉〔ヘブライ語〕の文言で答えて、まるで学識ある男のようだった。裕福な人々は彼女に金貨を贈り、それを彼女は念入りに、かつ信心深そうにスカーフのなかに包み込み、まるで他人のために寄付を集めているかのごとくだった。

ラビ・ベニシュはその女について聞き及ぶと、出頭せよと使いを送ったが、手遅れで、彼女はすでに橇に乗って、走り去る準備を整えていた。ゴライの人々は彼女を毛布でくるみ、麦わらをかぶせていた。サクランボのジュースをいく壜かと安息日用のクッキーを持たせた。牡羊の角のような彼女の鼻は寒さと神への畏れで赤く、彼女は堂守りに答えて言った。「ラビにお伝えください、神様の思し召しがあれば、やがて〈イスラエルの地〉でお会いすることでしょう……神殿の門のところで」

旅まわりの行商人で一六四八年以前にも毎年ゴライを訪れていた男が知らせを広めて、ヴォルヒニア〔ウクライナ北西部の地域〕ではユダヤ人が喜びのあまり通りで踊っていると伝えた。みんな家を買うのをやめてしまったし、重たい外套を縫わなくなった、なぜなら〈イスラエルの地〉は暖かいだろうからね。姻戚になるはずの者たちは結婚式を延期していて、婚礼の天蓋はエルサレムで立てようという心づもりだ。ナロールでは若者がエルサレム・タルムードを学び始めたよ、バビロニア・タルムードよりもね〔タルムードにはバビロニア・タルムードがあり、四世紀に編集されたエルサレム・タルムードと、それより約一世紀後に編集されたバビロニア・タルムードがあり、通常は後者を学ぶ〕、そしてマゼル・ボジツではある金持ちが財産を貧民に分け与えてしまったよ。

ある苦行者は肉食をせず、ぶどう酒を飲まず、硬いベンチで寝て、徒歩で世界を旅していたが、その男が語って、レブ・ネヘミア・ハ‐コーヘンという名の預言者が小ポーランド〔ポーランド南東部〕に起こったと述べた。その預言者は素肌に毛ごろもをはおり、預言しながら地面にうつぶせに倒れて、人とは思えぬ叫び声を上げるのだよ。レブ・ネヘミアは先のことを語り、ユダヤ人がまもなく世界の隅々からつどって、死者が墓からよみがえるであろうと告げたんだ。きわめて偉大なラビたちや天分ある男たちがこの預言者を信じ、敬意のしるしをささげたよ。

しかしゴライに騒ぎの絶頂を引き起こしたのは、あるラビの使節で、イエメンから来たユダヤ人だった。

真冬のことで、一月の、とある夕べの早い時刻だった。一日中風が吹き荒れ、山のように積もった雪を吹き飛ばし、家々の前に積み上げた――青く、ガラスのようで、野原みたいに塵といっしょにあたりいっぱいに広がった。カラスは短い足であちこち歩き、凍え死んだ猫をつついて、曲がったくちばしでカアカアと鳴き、空中を低く飛んで翼を動かした。無傷で窓枠に残っている窓ガラスはめったになかったが、こうしたガラスに複雑な霜の模様ができて、それらは木が嵐でひっくり返されて幹が折れたみたいに見えた。屋根は低く垂れて地面に身をかがめ、どの煙突からも一本の柱となった乳白色の煙がらせん状に立ちのぼり、あたかも空に穴をうがつかのようだった。神の星々はいつも以上に明るく大きくまたたき、大気のなかで緑と青の光を放った。虹のすべての色合いを映し出す三つの真珠色の暈(かさ)に囲まれて、黄色い月が、まるで目のように、ユダヤ人たちが午後の祈りへと急ぐ姿を見下ろしていた。不意に鋭い鈴の音が市の立つ広場に響いて、橇が一台乗りつけた。一人の男が、あごひげと長い脇髪を雪に覆われて降り立った。赤いターバンをつけ、毛皮の外套を裏に返して着ていた。黒い目で、ぎらぎらした視線をいたるところにさっと送り、こう尋ねた。「学びの家はどこだ?」

新参者は午後の祈りと夕べの祈りのあいだの時間に聖所に現れた。彼の到着は興奮を引き起こした。彼は敷居のところで立ち止まり、そこでフェルトの靴を脱ぎ、靴下だけになって立った。そのあとで、外套を脱いで長いスモック姿となったが、それには祈禱用ショールのような黒い縞が入っていて、刺繍をほどこした帯を巻いていた。両手両足を銅製の水栓のところで長いあいだ洗ってから、新参者は祝福の祈りを唱えたが、その言葉はアラム語のように聞こえた。それから、規則正しい足取りで演壇にあがり、顔を東の壁に向けて、震える声で叫んだ。「ユダヤ人たちよ、私はあなたがたに良き知らせをもたらすために来た！　われらが聖なる都エルサレムから！」

新参者の到着はたちまち町に知れわたり、群衆が学びの家に駆けつけた。女たちが男たちに交じり、若い男女はいっしょになって朗読台やテーブルの上に立った。だれもが口をあけて見とれ、聞き入った。そのよそ者は途切れがちの、涙があふれんばかりといった声でしゃべった。

「ユダヤ人たちよ」と彼は言った、「私は我らの聖地の者である。私は生粋のセファルディ〔スペイン・ポルトガル・北アフリカ系のユダヤ人〕だ。私はわが兄弟たちによって〈流浪の地〉に遣わされ、あなたがたに伝えよと送り出された。ナイル川に潜む大魚は、我らのメシアであり聖なる王であるサバタイ・ツェヴィの手により屈服した……王としての彼の身分はほどなく明らかとなり、彼はスルタン〔イスラム教国の君主〕の王冠をその頭から奪い取るであろう……サムバチオン川の対岸のユダヤ人たちは準備が整っており、ハルマゲドンの戦い〔イディッシュ語原文では「ゴグとマゴグの戦い」。二四頁の註を参照〕を待ち受けている……高きところに住まう獅子が、その口に七つの頭のあるサソリをくわえて天から降りきたるであろう……鼻から火を噴きつつ、彼はメシアをエルサレムに運ぶであろう。力を振るい起こせ、おおユダヤ人たちよ、そして備えをせよ！……生きてこれを見るであろう者は幸いなり！」

学びの家はあまりに静まりかえったので、はぐれたハエが一匹音を立てて飛ぶのが聞こえ、羽で窓を打つ音がした。女たちは両手をよじるように握り、そのゆがんだ顔が笑っているのか泣いているのか見分けるのはむずかしかった。見渡すかぎりびっくりした顔ばかりだった。群衆は身じろぎし、その様子は雄羊の角笛が〈新年祭〉〔ティシュレイの月（西暦の九〜十月）の一日と二日に祝う〕で吹き鳴らされるときのようだった。使節は自分の周囲を見まわした。

「驚くべきことと奇跡とがエルサレムで成し遂げられている……ミロンでは火の柱が大地から天へと伸びているのが目撃された……その上に黒々と神の御名とサバタイ・ツェヴィの名が省略されることなく刻まれた……油のしずくを見て占う女たちはサバタイ・ツェヴィの頭にダビデ王の王冠があるのを目にした……多くの不信者たちはこれを否定し、ゲヘナ〔地獄〕のまさに敷居にいながら引き返すことを拒否する……災いなるかな、その者たち！　彼らは黄泉の最も深い領域に沈み、滅びるであろう！」

「ユダヤ人らよ！　みずからを救え！　ユダヤ－人らよ！」とだれかが突然に叫び、まるで窒息しかかっているかのようだった。

群衆は身震いした。それは足の不自由なモルデカイ・ヨセフで、カバラー主義者であり、濃くて燃え立つようなあごひげと毛深い眉をした男で、断食し、泣き、怒れる男だった。祈るときには、よく頭を壁に打ちつけるのだった。〈畏れの日々〉*には〈嘆願の祈り〉のときに地面に倒れ伏し、まるで大昔の人のようで、声高にうめくのだった。葬式では弔事を述べ、〈贖罪の日〉*の前夜には祈りの家の控えの間で男たちを打ち据えた。熱狂的な気分に陥ると、彼は若者だけでなく老人にも平手打ちをくらわした。そういうわけで、だれもあえて彼に逆らわなかった。モルデカイ・ヨセフは骨格が幅広く、不格好で、脇髪はぼさぼさの赤毛、目は緑色だった。そして今、息づかいも荒く、足の不自由なこの男はテーブルに這い上がり始めた。近くにいた者たちが彼を持ち上げて、立てるようにしてやった。レブ・モルデカイ・ヨセフはテーブルを松葉杖でドンと叩いた。よごれた外套のボタンがはずれ、もじゃもじゃの髪は荒々しくなびき、彼は激情にかられてどもり、あえぎ始めた。

＊〈新年祭〉と新年の十日目の〈贖罪の日〉、あるいはこの両日のあいだの悔い改めの十日間のこと。〈贖罪の日〉はユダヤ教徒にとってもっとも神聖かつ厳粛な日であり、終日断食して懺悔の祈りを唱える。

「ユダヤ人らよ、なにゆえ黙しておる？　救いが世に到来したのだ！……救済が世に到来したのだぞ！」

彼はひたいを左手で叩き、だしぬけに踊り始めた。オーク材の松葉杖がドンドンと鳴り、彼の一方の大きな足がぶらぶらして、彼はあえぎながらまったく同じ文句を何度も繰り返し叫んだが、何を言っているのかだれにもわからなかった。

使節は振り向いて、きらめく目をモルデカイ・ヨセフにじっと向けた。モルデカイ・ヨセフの上着の裾が宙を舞い、その下の短い衣が体のまわりで波打った。彼は皺くちゃのスカルキャップ〔ユダヤ教徒がかぶる頭蓋のみを覆う丸い小さな帽子〕を頭のうしろの方へ押しやり、指を曲げて両腕を伸ばした。女たちが悲鳴を上げた。四方八方から手が彼の方へ差し伸べられた。突然レブ・モルデカイ・ヨセフが大の字にばったりと倒れた。学びの家全体が人込みと湿気をおびた壁とともに揺れた。だれかが叫んだ、「手を貸せ！　気絶したぞ！」

第6章　レブ・モルデカイ・ヨセフ

午後と夕べの祈りを書斎で一人きりで唱えるのがラビ・ベニシュの習慣だった。その知らせが彼の耳に届いたとき、彼は急いで祈りの家に向かった。しかしそこはすでにもぬけの殻だった。使節の説教のあと、だれもが急いで家に帰り、家族を集めてその知らせを論じ合った。数人の人々は使節に同行して、宿屋に行った。ほかの者たちはレブ・モルデカイ・ヨセフの家に行った。彼らはモルデカイ・ヨセフを長いあいだ雪でこすったり、針で刺したり強くつねったりせねばならなかったが、ようやく彼は我に返った。彼は壊れたベンチベッドに横たわり、服はすっかり着たままだった。両ひじにもたれて反り返って語り、失神していたあいだにサバタイ・ツェヴィが彼のところに来て、こう叫んだと言った。「モルデカイ・ヨセフ、祭司ハニナの子よ、おのれを卑下するな！　汝はやがて祭司としての捧げ物を供えることになろう！」男も女も、狭くて床板のない部屋で押し合い圧し合いした。ろうそくはなく、モルデカイ・ヨセフの女房は乾いた小枝を何本か煮炊き用の三脚台に積んで、火をつけた。炎がぱちぱち、しゅうしゅうと音を立て、赤い影がでこぼこした漆喰の壁で踊り、梁がぼんやりと低く姿を現した。隅には、ぼろきれを積んだ上にモルデカイ・ヨセフの一人娘が坐っていたが、その子は体に異常があり、頭が水頭症でふくれ、目がぼんやりしていた。モルデカイ・ヨセフの濡れたあごひげは白熱する石炭の照り返しで溶けた金のように光り、彼は緑色の眼球を狼の目のように燃え立たせて、失神していたときに見た神秘を明かした。抑揚は死にゆく男のもので、最後の言葉をもっとも身近な人々に語るときのようだった。

「大きな光が世におり来たるであろう！　太陽よりも何千倍、何万倍も大きな！　それは邪悪な者どもや嘲笑う者どもの目を盲にするであろう！　選ばれし者たちだけが逃れるであろう！」

その夜、ラビ・ベニシュは眠れなかった。

雨戸は閉ざされ、ずんぐりしたろうそくが二つの曲がった真鍮の燭台で燃えていた。老人は重い足取りで行ったり来たりし、おりおり足を止めては耳をそばだて、あたかも壁をひっかく音がしまいかと聞き入っているかのようだった。風が屋根を引きはがそうとし、ため息のような音を立てた。枝が霜でぱちぱち鳴り、長く尾を引く犬たちの吠え声があたりに満ちた。静寂が来て、そしてそれから吠え声がまた始まった。ラビ・ベニシュは次々と棚から本を取り出し、題名を調べ、ページをぱらぱらとめくって、メシア到来の予兆を探した。彼の広いひたいに皺が寄ったが、それは一節一節が矛盾していたからだった。ときおりラビ・ベニシュは腰をおろしてテーブルに向かい、鍵をひたいに押し当てて、眠り込まぬようにした。それにもかかわらず、彼はほどなく深いいびきをかいていた。それからはっとして頭を上げると、両目のあいだにねじ曲がった跡がついているのだった。彼は行ったり来たりして、暗い隅にある物にぶつかった。大写しになった彼の影が梁を這い、滑るように壁をつたって、霊的な口論をしているかのように震えた。炉は赤く輝いていたけれども、冷たい微風が部屋を流れた。早朝、〈堂守りのグルナム〉が炉にもっと薪をくべに来たとき、ラビ・ベニシュはまるで見知らぬ者を見るような目で彼を見た。

「行って、その使節を連れてきなさい！」と彼は命じた。

使節はまだ宿屋で眠っており、グルナムは彼を起こさねばならなかった。朝早くで、星がまだ空で瞬いていた。さらさらした、塩のような雪が彼らの顔に次々と降りかかった。ラビ・ベニシュは外套を着て、使節を出迎えようと家の敷居をまたいだ。ビーバーの毛皮のついた襟を立て、腕組みをして、両手を袖に突っ込んだ。身を切るような寒さで、ラビ・ベニシュはたえず体の向きを変えて足踏みをし、体を温めた。砂丘のように巨大に盛り上がった雪の山のどこか背後から、男が一人視界に浮かび上がり、風に吹かれて、沈んで見えなくなり、そしてそれから再び現れ、まるで泳いでいるみたいだった。ラビ・ベニシュは早朝の空に目をやった。心のなかをじっと見据えて、彼は叫んだ。「世界の主よ、我らをお救いください！」

だれ一人、ラビ・ベニシュがその朝何を言ったか知ることはなかったし、使節がなんと答えたのかもわからなかった。しかし一つのことがすぐにみなの知るところとなった。使節が別れも告げずにゴライから出ていき、やって来たのと同じ橇に乗って立ち去ったのだった。使節が姿を消したという知らせが広まったのは午後遅くだった。その情報を伝えたのは〈堂守りのグルナム〉で、ひそかな笑みを左目に浮かべていた。レブ・モルデカイ・ヨセフは蒼ざめた。彼はたちどころにだれのせいで使節が出ていったのかを察して、怒りで鼻をふくらませた。

「ベニシュのせいだ！」と彼は金切り声を上げ、脅すように松葉杖を振り上げた。「ベニシュが追い払ったのだ！」

長年にわたってレブ・モルデカイ・ヨセフはラビの敵だった。彼の学識を憎らしく思い、彼の名声をうらやみ、おりさえあれば悪口を言った。毎年の〈過越しの祭〉の口論の際、彼は人々をけしかけてラビ・ベニシュの窓ガラスを割るようにしむけ、ラビの頭にあるのは自分の評判だけで町のことなど何も考えていないと叫んだ。レブ・モルデカイ・ヨセフが何よりも腹に据えかねたのは、ラビ・ベニシュがカバラーの研究を禁じることだった。公然と反抗してレブ・モルデカイ・ヨセフはラビを呼び捨てにした。そして今、レブ・モルデカイ・ヨセフは彼の書見台を続けざまに叩いて、論争を煽り立てた。

「ベニシュは異端者だ！」と彼はわめいた。「イスラエルの主に逆らう違反者だ！」

ラビの弟子の一人の、ある老齢の家長がモルデカイ・ヨセフに駆け寄り、彼を二回殴った。血がモルデカイ・ヨセフの鼻から流れた。若者が数人飛び上がって、二人の帯をつかんだ。先唱者が朗読台を叩いて、祈りを妨げてはならないと命じたが、無視された。男たちは大きな黒い聖句箱〔二つの黒い革の小箱で週日の礼拝のときにユダヤ教徒の男性が左腕とひたいに付属の革紐でつける〕を頭につけ、腕には聖句箱の幅の広い革紐を巻いて、ひしめき、押し合い圧し合いしていた。ある背の高い、浅黒い顔の男は、頭が天井に届きそうだったが、風に吹かれる木のようによろめき始めて、叫んだ。「神聖冒瀆だ！　学びの家に血とは！　おお！」

「ベニシュは異端者だ！」とモルデカイ・ヨセフは大声を上げた。

松葉杖にしがみつきながら彼は前かがみになって、狂ったような速さで跳ねるように前へ出た。

「やつが地から引き抜かれてしまいますように……根こそぎ、何もかも！」

血のしずくが数滴、火のように赤い彼のあごひげでちらちら光った。狭いひたいは羊皮紙のように黄色く、深い皺が寄っていた。ジルコフのレブ・センデレルはラビの昔からの敵で、いきなり絶叫した。「ラビ・ベニシュは世界に逆らえない！　いつだって信仰心のほとんどない男だった！」

「背教者！」とだれかがどなったが、ラビのことなのかラビの敵たちのことを言っているのか判然としなかった。

「世を乱す者！」

「大衆を罪にいざなう罪びと！」

「世は燃え立っている！」モルデカイ・ヨセフが両手のこぶしでドンドンと叩き続けた。

「ベニシュ、あの犬は、メシアを否定する！」

「サバタイ・ツェヴィは偽メシアだ！」と甲高い、少年のような声が叫んだ。

みなが周囲を見まわした。それは慈善で学ぶ学生のハニナで、離婚した若いよそ者だったが、ゴライで学び続け、共同体に食べさせてもらっていた。彼はラビ・ベニシュの優秀な学生の一人だった——背が高く、不格好なほどであり、近眼で、面長の青白い顔、あごには黄色い毛が伸び始めていた。上着はいつも前を留めず、なかの衣もあけっ放しで、痩せて毛深い胸が見えていた。今、彼はそこに立って、学ぶための書見台に身をかがめ、ほとんどものが見えない目をまばたきしながら、にやにや笑って、だれかが彼と論争しにくるのを待っていた。モルデカイ・ヨセフはハニナを憎らしく思っていて、それはハニナが何冊もの大部なフォリオ判のタルムードをそらで覚えているためであり、また彼がいつでも権利もないのに口出ししてくるからだったが、いきなりハニナに飛びつき、足の悪い者が激昂して自身の不具合を忘れたときに見せる敏捷さで飛びかかった。

「おまえもか！」と彼は絶叫した。「こいつをつかまえろ、みんな！」

若者が数人ハニナに駆けより、彼のシャツをつかんで、引きずり出し始めた。ハニナは口をあけ、わめき、彼らのつかんだ手を振りほどこうとし、長い首を前後にねじって、両腕を体のまわりでばたばたさせ、まるで溺れかかっているみたいだった。上着は破れ、スカルキャップが脱げ落ちた。二本の長いくしゃくしゃの脇髪が剃った頭皮から垂れていた。彼は身を守ろうとしたが、慈善で学んでいる学生たちがすばやく彼の頭を押さえ、彼を運ぶ手助けをしながら力不足の手で殴って、まるでパン生地をこねているかのようだった。モルデカイ・ヨセフ自身は鼻高々にハニナの足をつかんで彼を運ぶのに手を貸し、彼の顔に唾を吐いたり、意地悪くつねったりしていた。すぐにハニナはテーブルの上に寝かされた。彼らは彼の上着のすそを持ち上げた。モルデカイ・ヨセフが真っ先に主人役を務めた。

「これをわが身代わりとなしたまえ！」とモルデカイ・ヨセフは大きな声で、〈贖罪の日〉の身代わりの儀式の言葉で呼ばわった。彼は袖をまくり上げ、あまりに強烈な一撃をハニナにくらわしたので、その不運な若者は小学生みたいにいきなりわっと泣き出し、べそをかいた。

「これをわが身代わりとなしたまえ！」モルデカイ・ヨセフはため息まじりに声を張り上

げ、再びハニナを殴った。

「この鶏〔贖罪のいけにえとしての鶏〕を死に赴かせたまえ！」とだれかが呼応して叫び、殴打が雨あられとその無為徒食の学生に降りそそいだ。ハニナはしゃがれた叫び声を上げ、あえぎだした。

彼をテーブルからおろすと、顔は青く、口を固く閉じていた。少年がすぐに水を入れた器を取ってきて、ハニナに浴びせかけ、頭から足まで水浸しにした。若者は発作的に体を引きつらせ、床で大の字になったままだった。ぞっとする静寂で学びの家は静まりかえった。たまたま二階の女性用回廊に女が居合わせ、格子を引っ張るようにつかんですすり泣いた。モルデカイ・ヨセフは松葉杖で床を叩きながら、足を引きずってうしろに下がり、もつれ合ったあごひげの奥の顔は蒼白だった。

「かように、悪しき者の名は朽ちる！」と彼は言った。「今や彼は世界を治める神がおられることを知るであろう！」

第7章　レブ・エレアザル・ババドと彼の娘レヘレ

レブ・エレアザル・ババドが家にいることはめったになかった。いつも村から村へと動きまわっていた。彼は重たい外套を着て、靴に麦わらを詰め、一方の手に粗布の袋を、もう一方の手には杖を持って、小道や脇道に向かった。乞食のように犬を杖で追い払い、夜は農民の納屋の干し草置き場で寝るのだった。ある者たちが言うには、レブ・エレアザルは彼に支払われるべき一六四八年以前の古い貸し金を取り立てに行くのだった。ほかの者たちが確信するところでは、彼がこんなふうにさすらうのは罪滅ぼしとしてであり、彼の精神をすり減らしている罪のせいなのだった。彼の一人娘レヘレは一人きりで家にとどまっていた。何日も立て続けに彼女はクッション付きのフットベンチに腰かけて炉辺に向かい、遠くの町々から持ってきた書物を読んでいるので、聖なる言語に精通しているとうわさが立った。ルブリンの医者からラテン語を学んだと断言する者たちさえいた。ゴライの女房たちはレヘレと親しくなろうとして挨拶に出向いたが、彼女の対応は普通の「まあ、ようこそいらっしゃい」ではなかった。腰をおろすように勧めるのではなく、何かを隠して服の胸元にしまい込んだ。絹のボンネットをかぶった若い主婦たちは、たいていエプロンが妊娠中のお腹の上でふくらんでいたが、レヘレを楽しませようとしてやって来て、彼女とさいころ遊びをしようとしたり、若い女たちがよくやるように、これからありそうな縁組についておしゃべりをしようとした。なかには宝石を小箱に入れて持ってきて、自慢する者たちもいた。また別の者たちは毛糸の玉と編針を持参して腕前を披露した。しかしレヘレは炉辺に坐り、立ち上がって出迎えることは決してなく、彼女たちが坐れるようにベンチの水気を拭きとることさえしなかった。彼女たちの名前を取り違え、ひどく横柄にふるまうので、女たちは笑って彼女をからかい始めた。立ち去る前に、訪問客の最後の者はドアの向こう側からレヘレにこう呼びかけた。

「そんなにお高く偉そうにするもんじゃないわ、レヘレ！　あんたの父さんはもう金持ちじゃないのよ。あんたは今じゃ貧乏人なのよ！」

　レヘレは（神が我らをお救いくださるように！）病気がちで、いろいろ大目に見てやらねばならなかった。木曜日に家々を行きめぐる女がいて、安息日のためにこね鉢のパン生地をこねるのだが、その女の報告ではレヘレはハエほども食べないのだった。月のものは三か月に一度なのよ。朝は遅くまで寝ていて、夜には戸口に木のかんぬきをいくつかかけて寒いでいる。近所の者がレブ・エレアザルのレンガ造りの家の裏手にいて、地べたを住まいのようにしていたが、その者がささやいて言うには、レヘレが用を足すために裏庭に出てくることは決してないのだった……

　レヘレは一六四八年にゴライで生まれ、その二、三週間後にあの虐殺があった。強盗どもがザモシチを包囲したとき、彼女の母親は赤ん坊を腕に抱いて逃げ、さんざん苦労したあげく、ルブリンにたどり着いた。幼子（おさなご）が五歳のときに母親が亡くなり、レブ・エレアザルはそのとき家族のほかの者たちとともにヴロダヴェにいた。レヘレだけがルブリンのおじの家にとどまっていたが、そのおじはレブ・ゼイデル・ベルという儀式屠畜人だった。背の高い男で、濃い眉毛の下には赤い目、そして黒いあごひげが腰まで伸び、寡黙な男やもめで人づき合いをしなかった。中庭の仮小屋で家畜を屠っていたが、木の桶はいつも血でいっぱいで、羽毛がたえずあたりに舞っていた。ここは昼でも夜のように暗く、夜には小さなオイルランプを灯した。肉屋の小僧たちが赤い染みの飛び散った上着を着て、ベルトにナイフを差して動きまわり、がさつな声で叫んでいた。屠られた鶏たちは血まみれの地面に身を伏せ、拘束された翼を猛烈にバタバタさせて、まるで飛び立とうとしているかのようだった。子牛は、足をわらで縛られて、頭を互いの首に載せ、割れたひづめで地面を打ち、しまいに目がどんよりとするのだった。一度レヘレは血で汚れた肉屋の小僧たちが二人してヤギの皮をはいで、そこに横たえるのを見たが、ヤギの眼球はびっくりしたように出っ張り、白い歯は死のほほえみとでもいうものを浮かべて、突き出ていた。

レヘレはレブ・ゼイデル・ベルが怖かった。彼は再婚せず、子供はいなかった。家の面倒は姑がみていたが、もう九十歳になろうとしていて、耳が遠く、顔は蝋のように青白くしなび、ほくろとやぶのような黄色がかった毛がいっぱいあった。彼らが暮らした古い石造りの建物は壁がぶ厚く、いくつかの小さな高窓がアーチ形の天井近くについていた。それはどこか町はずれにあって、墓地の近くだった。出入り口は洞窟のように低くて暗く、行き止まりの通りに面していた。中庭は起伏があり、ごつごつしていて、くぼみだらけで、あらゆる種類のぼろきれ、羽ぼうき、朽ちた麻袋が散乱していた。レブ・ゼイデルの住まいはふた間で、入口に続いて狭い玄関ホールがあった。彼はそのうちのひと間で寝て、そこには天蓋付きの大きなベッドがあり、色あせた赤いサテンの垂れ布がさがっていて、ほかには祈禱用の小卓と書棚があった。屠畜小屋の仕事が忙しくないときに〈おじさん〉はよく寝室で靴職人用の丸い腰かけに坐って、ナイフの緑がかった刃を大きくてなめらかな石で研いでいた。切れ味は右手の人差し指の爪——まさにその目的のために伸ばしていた——で試し、刃に不具合がないかを毛の生えた長い耳を澄まして聞き入っていた。ほかのときには宗教書を読みながらつぶやいたり、ひたいを片方のこぶしにもたせかけてまどろんでいた。

次の間（ま）には家の必需品が置いてあった。水の大樽と鍋や皿を洗う大きな桶、ベンチが二つ——一つは乳製品用、もう一つは肉用〔ユダヤ教では肉と乳をいっしょに料理して食べることが禁じられている〕——そして台所くずの山にほうきが立てかけてあった。老婆は深い、すすけたかまどで料理をし、いつも長いへらを持ってかかりきっていて、たえずぶつぶつ言っていた。レヘレが外に遊びに行きたいと言うと、〈おばあちゃん〉は骨ばった両手で子供をつかんで髪を引っ張り、シーッと言って叱るのだった。

「お坐り、悪さばかりしおって！」と声を上げ、青あざのできるほどレヘレをつねるのだった。「発作を起こして屋根まで飛び上がればいい！　発作にさらわれるがいい！」

レヘレは頑固でいこじな子だった。〈おばあちゃん〉がシラミを取ってやろうとすると拒むので、老婆は彼女を木切れでぶたねばならなかった。洗い物用の水を入れてある桶にはいつも小枝が浸けてあり、それを使って老婆は少女のわがままを叩いて懲らしめた。毎週金曜日の午後に老婆は無理やりレヘレの頭を桶に突っ込み、そのときにはお湯を張ってあるのだが、レヘレは声が嗄れるまで叫ぶのだった。レヘレを説得して家に留まらせ、あちこち出歩いたりさせないために、老婆はその子を怖がらせるようになった。

彼女はレヘレを説きつけて、墓がいくつかある中庭では亡霊がたえず飛びまわって入り込む体を捜しているのだと言った。大きなエプロンをお守りだと言ってレヘレに着けさせ、これで不浄の霊が取りつかないだろうと言い、首には狼の歯を入れたリネンの袋を下げさせた。〈おばあちゃん〉は出かけるときに必ず、木のくいを使って外から戸口にかんぬきをかけた。梁の近くにある小さくてほこりだらけの窓から光はほとんど入らず、油に浸した灯芯がいつも陶器のかけらのなかで燃えていた。狭くてごたごたした寝室でネズミたちがひっきりなしに引っ掻くような音を立て、ほかにも小さな物音がして、まるで手が闇の中を探りながら進んでいるようだった。空気穴が一つ、次の間の炉の上の高いところにあった。そこがくすぶるとよく煙突掃除人が呼ばれ、よじ登って作業をしながら下にいる老婆に大声で呼びかけるのだった。彼の目は眼球がひっくり返ったみたいにすっかり白く、黒い顔をよくゆがめたが、悪魔さながらだった。〈おばあちゃん〉は彼の下に立って、小さなこぶしを振るのだった。

「もっと上だよ！」と彼女はきいきい声を上げた。「もっと上！　もっと上！」

レヘレは煙突掃除人が来るとベッドの下に隠れ、衣類の山の下に潜り込むのだった。彼が鉄のバケツから引っ張り出すほうきが怖かったし、彼がほどく太い、煤だらけのロープに怯え、よその人間がかまどにつまずくのを耳にすると蒼ざめた。しばしば煙突掃除人は二人で来た。背の高い方は昆虫みたいなごわごわした口ひげを生やしていた。一方の掃除人が屋根に這い上がり、もう一方が炉の口に頭を突っ込んで、上にいる相方に向かって、まるで洞窟のなかからのようなくぐもった声で呼びかけるのだった。彼らが立ち去ると、黒々とした裸足の足跡が床に残っていた。屠畜人はよく、ナイフを口の端にくわえて部屋に入ってきた。血で固くなった上着は鳥の羽毛だらけで、背をかがめて低い戸をくぐるときにきゅうきゅう鳴った。彼はよくぶつぶつ言った。「犬どもにいくらくれてやった？」「はした金ともみ殻をひと握りだよ」と老婆は応じ、あごを突き出すのだった。彼女のしぼんだ口には歯がなかった。

夜は恐ろしく、レヘレはベンチベッドで老婆と寝なければならなかった。おじは寝室で大いびきをかき、まるで息が詰まったみたいにあえいで寝ながらうめき、老婆はだらだらと祈りを唱えて、落ち着きなく寝返りをうった。老婆は焼けた羽毛とネズミのにおいがした。ときどき子供のシャツを持ち上げて、死んだような両手を少女の熱い体に這わせ、不浄な喜びでくつくつ笑った。「火だ！　火だ！　この子は燃えてるよ！」

羽根布団をかぶって横になり、真っ暗闇のなかにいるとき、老婆はよくレヘレに獣や小鬼の話をした。さらに、洞窟で魔女たちと暮らす盗賊どもの話。子供を焼き串に刺してあぶる人食いどもの話。野蛮な一つ目の怪物が片手にモミの木を持って歩きまわり、行方知れずの王女を探す話。ときどき〈おばあちゃん〉は眠りながら荒々しく、つじつまの合わない叫び声をあげた。レヘレは髪の毛の根元が恐怖できりきりと痛くなり、体じゅうがぶるぶる震えて、悲鳴を上げて老婆を起こすのだった。「おばあちゃん？　何を言ってるの？　おばあちゃん？」

「おばあちゃん、怖いよ！」

第8章　ルブリンでのレヘレ

レヘレが十二歳のときに老婆が死んだ。三日間、次の間のベンチベッドで寝ていて、今にも息を引き取ろうとしていた。小さな頭に赤いスカーフを巻き、皺だらけの顔は死体のようにこわばって、あごを上に突き出し、ひらいた目は眼球が裏返って、すっかり白いように見えた。それが起きたのは〈悔い改めの十日間〉で、〈新年祭〉と〈贖罪の日〉のあいだのことだった。中庭の屠畜小屋からは雄鶏たちのコッコッと鳴く声が聞こえ、主婦や女中たちの大声がそれに混じった。死につつある女の様子を見にくる者はめったにおらず、みな忙しくしていた。義理の息子であるレブ・ゼイデル・ベルは血まみれの姿でときおり次の間に駆け込んできたが、あごひげは宙に舞い、赤い瞼（まぶた）がもじゃもじゃの眉毛の下でかすかに光っていた。彼は胸からガチョウの羽根を抜き出して、死につつある女の鼻近くにかかげ、まだ息があるかどうかを確かめ、慣れた手つきで調べて、ため息をついた。「ああ、そうか、終わりのない物語だな！」

〈レブ・ゼイデル・ベルおじさん〉は大祭日の前でいつもどおり、贖罪の雄鶏を屠り、その間女たちはせっついたり、むだ口を叩いたりして彼を煩わせた。その上、まだ子供のレへレは疲れていたせいで、彼のために作る食事を焦がしてばかりいた。不安に思いながら彼女は灯心の火を一晩中絶やさず、夜明けまでベンチに坐り、ショールにくるまっていた。コオロギが壁付けのかまどの裏でいつも以上に催促がましく甲高い声を上げた。たびたび奥の小部屋から〈おじさん〉が寝言で大声を出し、まるでとぎれとぎれにだれかと話をしているみたいだった。レへレは部屋が邪悪なものたちでいっぱいだとよくわかっていた。ほうきやモップが身じろぎした。長く伸びた影があの世から来た亡霊のように壁をすっと伝った。ときおり老婆が上唇を上げて、ぞっとするほほえみを見せた。蝋のような手を羽根布団の下から突き出し、空（くう）をつかんで、それからあたかも何かをとらえたかのごとく指をぎゅっと握りしめた。老婆は〈贖罪の日〉前日の朝早くに死んだ。すぐに埋葬組合からよく働く女たちが、体をすっぽり包むとても大きなエプロンを身に着けて到着した。彼女たちは浄めの儀式のためにやかんで湯を何杯も沸かし、部屋はもうもうとした湯気と、濡れたぼろ布と麦わらでいっぱいになった。女の一人がタンスをあけ、死装束の縫い目で縫ったゆったりしたズボンの下着一式と帽子を引き出したが、それらは老婆が前もって準備しておいたのだった。もう一人の女は黒い担架を部屋に運び入れた。レヘレはレブ・ゼイデル・ベルの遠い親戚のもとに送られた。葬儀はすぐにおこなわれ、レブ・ゼイデル・ベルが服喪者の祈りを朗誦した。日没の直前に〈おじさん〉は人を寄こしてレヘレを家に連れ戻した。濡れた床はすでに掃除をしてあり、砂が撒いてあった。〈おばあちゃん〉の魂を記念する三本のろうそくが砂を詰めた箱のなかで燃えていた。〈おじさん〉は白い上っ張りを着て、布製の靴を履き、頭には金色の房飾りのついた刺繍入りの白い被り物をかぶっていた。黒いあごひげは櫛で梳いて濡れており、脇髪はお下げ髪ほども長かったが、まだ沐浴の雫がしたたっていた。彼はレヘレがイディッシュ語で読んだ何冊かの小さな本に出てくる、神を敬い畏れるユダヤ教の賢者たちの一人に似ていた。彼は両手を彼女の頭に置いて、悲しげな声で言った。「主が汝をサラ、リベカ、ラケル、レア〔旧約聖書の族長アブラハム、イサク、ヤコブの妻たち〕のようにされますように……。幸いあれ、そして清き心であれ、おお、子よ、そして家庭に専心せよ……神の御名において！」レヘレは唇をひらいて答えようとしたが、〈おじさん〉は荒々しく戸をあけて飛び出し、ろうそくが消えそうなほどだった。レヘレは部屋の真ん中に立ちつくした。まるで見知らぬ場所にいるかのごとく、驚いてあたりを見まわした。血のように赤い空の断片が梁近くの小さな窓を満たし、外では大きな嘆きの声がした。ルブリンの狭い通りは沈みゆく太陽に照らされて、今や〈贖罪の日〉の白い衣をつけた男たちでいっぱいだった。彼らは死装束を身に着けた死体のようだった。女たちはすその長い白いドレスを着て、絹のスカーフをつけていた。真珠やずっしりとしたネックレス、飾りピンや腕輪、ブローチ、ゼリーのように震える長いイヤリングで装っていた。夫や子供を亡くして間もない女たちは腕を広げて走りまわり、正気を失ったかのようで、しわがれた声で同じ文句を何度も繰り返していた。その年ずっと激しくいがみ合ってきた隣人同士が抱き合い、しがみついたまま行ったり来たりして、彼らを分かつことのできるものは何もないといった様子だった……。若い主婦たちは誇らしげに歩き、一方の手に金で装丁された祈禱書を持ち、もう一方の手でドレスのすそをたくし上げていた。笑ったり泣いたりしながら彼女たちは互いの首に抱きついた。少女が四人がかりで、体の動かなくなった百歳ぐらいの老婦人を赤い布張りの椅子に載せて運んでいた。老女の金色のドレスが日没のなかで輝き、山の高いボンネットにはビーズや宝石がついていて光を放ち、サテンのリボンが風になびいていた。目の見えない老人が白いあごひげを風にあおられながら、松葉杖をたよりに立ち、血の気の失せた両手で通りすがりの人々すべてを祝福しようと手探りしていた。祈りの家に通じる通りには低い台が連なり、台の上には慈善金を入れる鉢が載せてあった。体に障碍のある者、聾唖者、足の不自由な者たちが足載せ台に腰をおろして銀貨や銅貨を数えていたが、その金で群衆は自分の魂を聖日のために贖ったのだった。〈ルブリンの悔悟者〉イェルハムが例年どおり祈りの家の戸口に裸足で立ち、衣服の前をはだけていた。彼は両手をよじるように握り合わせ、自らの罪を嘆いた。

「ユダヤ人たち、お慈悲を、ユダヤ人たちよ！……あわーれみを……あわーれみを！……」

しかしここ、この寂しい通りで、ぶ厚い壁の内側にいると、レヘレにはこだまが聞こえるだけだった。彼女はそこに立って、耳をそば立て、目を見ひらいていた。これは彼女が初めて一人きりで過ごす〈贖罪の日〉の前夜だった。以前は〈おばあちゃん〉が女の子たちを招いていっしょにいさせ、彼女たちは互いの髪を編んだり、押し殺した声でおしゃべりをしながらテーブルに身を寄せ合ってその晩を過ごしていた。〈贖罪の日〉の前夜はぞっとする時間だった。しばしば、その夜には、領主たちがユダヤ人の家庭に押し入り、若い、保護者が不在の娘を襲った。ろうそくがだらりとうなだれてしまうこともあって、そうなると家に残された子供たち〔大人はシナゴーグでの礼拝で不在のため〕は外に駆け出し、キリスト教徒を見つけてろうそくをまっすぐにしてもらわねばならなかった。幼い子供たちが命を落とす火事はしょっちゅう起きた。みなは大シナゴーグでの大惨事を覚えていたが、そのときはだれかが町が火事だと叫び、恐慌状態のなかで大勢の男女が踏みつけられ、押しつぶされたのだった。さらに、だれもが知っていることだが、この、もっとも神聖な夜、コル・ニドレイ〔〈贖罪の日〉の前夜の礼拝を導く祈り〕の畏怖に満ちた祈りが朗誦される夜には、あたりはあの世に安息の場を見出せない霊たちでいっぱいなのだった。レヘレと友人たちは一度、自分たちの目で、そういう霊がろうそくのそばを通って炉のなかに消えるのを見たことがあった……。そのあと長いあいだ、ろうそくの炎がくすぶって、ぱちぱち音を立てた。

今レヘレはただ一人で〈贖罪の日〉の前夜に家にいて、しかもほんの数時間前に亡骸が運び出されたばかりだった。

レヘレは通りに出ていって人を呼びたかったが、暗い廊下にある戸口をあけるのが怖かった。唇をすぼめて大声を出そうとしたが、叫び声はどうしてものどから出なかった。おびえて、ベンチベッドに身を投げ出し、体を丸めて目を閉じ、布団をかぶった。どこからともなく低いつぶやき声が聞こえてきた。その音は地面の下から聞こえてくるようで、レヘレにはコル・ニドレイの朗誦のように思えた。しかしそれから朗誦しているのは死者たちだと徐々に気づき、死者たちのコル・ニドレイを耳にする者はだれでもその年を生き延びないだろうとわかった。

彼女は眠り込み、夢のなかで〈おばあちゃん〉がやって来た――服はぼろぼろで、乱れた姿で、やつれていた。頭に巻いたスカーフは血に染まっていた。「レヘレ！　レヘレ！」と彼女は絶叫し、少女の顔を麦わらの小さな束でこすった。

レヘレの全身が震えた。目を覚ますと、汗びっしょりだった。耳鳴りがして、胸に鋭く刺すような痛みを感じた。叫ぼうとしたが、できなかった。徐々に、恐怖が引いていった。建物のなかで足音がして、とぎれとぎれの文句が聞こえた。かまどやベンチの上の鍋類が動き、宙に浮いた。ろうそく入れの箱がぐるりとまわり、ジグ〔動きの速い活発なダンス〕を踊った。

壁に真っ赤な輝きが見えた。何もかもが騒ぎたち、はじけ、ぱちぱち音を立て、まるで建物全体が燃え上がったかのようだった……。その夜遅く、〈おじさん〉は帰ってくると、レヘレが横になっているのを見つけたが、彼女は両膝を胸に引き寄せ、目はどんよりとし、歯を食いしばっていた。レブ・ゼイデル・ベルは悲鳴を上げ、人々が駆けつけた。彼らは少女の口をこじあけて、酸いぶどう酒をのどに流し込んだ。一人の女がそういうことに熟練していて、レヘレの顔を爪で引っ掻き、彼女の頭から髪の毛をところどころ引き抜いた。とうとうレヘレはうめき声を出し始めたが、その晩以降、彼女は元に戻らなかった。

初めのうちレヘレはまったくしゃべれなかった。しばらくするとしゃべる力は取り戻したが、ありとあらゆる病気にかかった。レヘレは美しくて家柄がよかったので、レブ・ゼイデル・ベルは彼女と結婚したいと思い、まるで実の娘のように面倒をみた。女中を雇って世話をさせ、さまざまな治療やまじないにたよった。ある女は邪悪な霊を呪文で追い払うために連れてこられた。また別の女は彼女の体を小便で洗った。さらにまた別の女はヒルを使った。レブ・ゼイデル・ベルは彼女に何冊も本を持ってきて、トーラーを教えることさえした。とレヘレは反応を示さずベッドで横になったままだった。苦痛をまぎらわしてやろうとして、きには瀉血治療をレヘレに施すポーランド人の医者が、彼女といっしょにラテン語の本を読んだ。ようやくレヘレは状態が良くなり、再び立てるようになったが、左足は麻痺したままで、足を引きずって歩いた。それからレブ・ゼイデル・ベルが亡くなり、レヘレは父親であるレブ・エレアザル・ババドのもとに戻ったが、彼はその間に妻と息子を亡くしていたのだった。

それ以来レヘレは独特の存在となった。不可解な数々の病に悩まされた。癲癇にかかったのだと言う者もいたし、悪鬼に支配されていると言う者もいた。ゴライでレブ・エレアザルは彼女を完全に一人きりにして、村々をめぐる旅からめったに戻らず、彼女に会いに帰ってこなかった。人々が彼に母親を亡くした彼の哀れな娘の話をすると、彼はよく首をうなだれて、困惑して答えるのだった。

「いやまあ、成りゆきのままに……！　どんな知恵も英知も熟慮も主の意に反してはありえないのだから！」

第9章　行商人レブ・イチェ・マテス

一人の行商人がゴライにやって来て、大袋には、神聖な手書き文書や房付きの衣、聖句箱やスカルキャップ、妊婦のための「都もうでの歌*」、子供のための楕円形をした骨のお守り、メズーザー〔金属製あるいは木製の小さな箱で、家や居住目的の部屋の出入り口の柱に取りつける。「申命記」からの聖句とシャッダイ〔全能者〕と記した羊皮紙がなかに収められている〕や祈禱用の帯がいっぱい入っていた。行商人というものは短気と相場が決まっていて、買う気のない者に商品を触れさせてはおかない。こわごわ、一度に一人ずつ、若者がその行商人に近づき、テーブルに広げられたさまざまな品を興味深げに見つめて、本に指を走らせ、黙ったまま用心深くページをめくって、彼の怒りをかわないようにした。しかしどうやらこれは礼儀正しい行商人のようだった。両手を袖にしまい込んで、彼は若者たちが本をぱらぱらめくるままにし、好きなようにさせておいた。行商人は広い世界からやって来る、そしてたいていありとあらゆる知らせを持ってくるものだ。人々は彼の方ににじりよって、尋ねた。「よその方（かた）、お名前は？」

＊「詩篇」第一二〇篇〜第一三四篇の表題。旧約聖書の「詩篇」は出産の際に悪霊に対して効果があると信じられていた。英語訳では「都もうでの歌」が脱落しており、「妊婦のためのスカルキャップ」となっているが、イディッシュ版に基づいて改めた。

「イチェ・マテス」

「じゃあ、レブ・イチェ・マテス、世の中では何が起きているかね？」

「神は誉むべきかな」

「ユダヤ人に救いが来るうわさはあるかね？」

「たしかに、いたるところでね、神に幸いあれ」

「もしかして、レブ・イチェ・マテス、手紙とか冊子を持っておられるかい？」

レブ・イチェ・マテスは何も言わず、あたかも聞かなかったかのような様子だったので、みなはただちにこれはおおっぴらに論じる問題ではないと悟った。そこで、声をひそめてささやいて言った。「しばらくここに滞在の予定かな、レブ・イチェ・マテス？」

彼は背の低い男で、丸みをおびた、麦わら色のあごひげを生やし、四十歳くらいに見えた。ぼろぼろの帽子は毛皮が何か所も大きくはげ落ちていて、うるんだ涙目の上まで引きおろしてあった。ほっそりした鼻は炎症で赤くなっていた。継ぎはぎをした長い外套は地面に届くほどだった。赤いスカーフを腰に巻いていた。若者たちは本をごそごそかきまわして捜し、ふちが閉じてあるままのページを裂き、さまざまな被害をもたらしたが、行商人はまったく抗議しなかった。わんぱくな少年たちは刺繍のほどこされた房付きの衣をいじりまわし、金色のスカルキャップを試しにかぶってみたりした。彼らは行商人の大袋の奥に手を突っ込むことまでして、木製の筒に収められた〈エステル記〉の巻き物を見つけ、雄羊の角笛や、〈イスラエルの地〉の白い、白亜質の土が入っている小袋を発見した。買う者はほとんどおらず、だれもが商品を手に取って、みなで共謀して行商人を怒らせようとしているみたいだった。しかし彼は無表情なまま自分の商品の前に立っていた。人々が〈聖なるかな、聖なるかな、聖なるかな〉と唱えると、彼の麦わら色の口ひげがほとんどそれとわからぬ程度に震えた。何かの値段を問われると、彼は片手を耳に当て、よく聞こえないようなしぐさをして、問いかけた者の顔を避けながら、長いあいだ考えた。

「それがなんだと言うのかね？」と彼は最後に低いかすれ声で言うのだった。「出せる額を出しなさい」そしてブリキ製の小銭箱を差し出すのだが、あたかも実のところ彼は行商人ではなく、何か神聖な目的で金を集めているといった風情だった。

ラビの息子のレヴィが彼を夕食に招待したが、それは父との論争において、レヴィが口には出さないがサバタイ・ツェヴィの一派を支持していたからだった。集まったのは中枢の仲間たちだった。カバラー主義者たちはみな、その行商人が何か興味深い話を持ってきたと感づいたらしかった。レブ・モルデカイ・ヨセフはラビ・ベニシュの敵で、彼らの仲間だった。レヴィの妻ネヘレが雨戸を閉ざし、鍵穴をふさいで、オゼルの子供たちがいつもの盗み聞きをできないようにした。みながテーブルを囲んで腰をおろした。ネヘレがタマネギ入りのパンケーキを出し、テーブルに飲み物を整えた。レブ・イチェ・マテスはパンをほんのひと口手にして、それを丸ごと飲み込んだが、周囲の人々には腹いっぱい食べて大いに飲むようにと勧めた。人々はレブ・イチェ・マテスが選ばれし者の一人だとすぐに察知したので、彼の勧めるとおりにした。彼らのひたいは汗ばみ、目は大いなる時が到来した期待で輝いた。レブ・イチェ・マテスは上着のボタンをはずし、内ポケットから手紙を一通取り出したが、それは羊皮紙にアラム語で書いてあり、字体は書記〔トーラーや聖句、結婚契約書や離縁状などを書く専門家〕のもので、文字の上にはトーラーの巻き物と同じように小さな王冠がついていた。その手紙はアブラハム・ハヴチニとサムエル・プリモからのもので、彼らは〈イスラエルの地〉の住人だった。何百人ものラビがこの手紙に署名しており、そのほとんどが異国風の名前のセファルディのラビたちで、タルムードの賢者たちを彷彿させた。あまりに静まりかえったので、オゼルの男の子たちはドアの外にひそんでいたのだけれども、ささやき声一つすら聞きとれなかった。瀬戸物のかけらに置いた灯芯がぱちぱち、ぷつぷつと音を立て、いくつもの長い影が壁で身震いし、前後に揺れて、混じり合った。良家の出のネヘレはかまどのかたわらにいて、たきつけをくべた。やせた頬が熱く照り映えていた。彼女は横目で男たちを見て、ひと言ももらさず聞き入った。

　レブ・イチェ・マテスは背を丸くして坐り、ほとんどささやくように話し、奥義中の奥義を明かした。聖なる火花がほんのわずかばかり存在の殻のなかでいまだに燃えている。闇の勢力がこれらに取りついているが、彼らの生きる道がそれにかかっていると承知しているからだ。神の同盟者、サバタイ・ツェヴィはこれらの勢力と戦っている。神聖な火花をその原初の源に連れ戻しているのは彼である。最後の火花がその出てきたところに戻されたとき、聖なる王国が現れ出るであろう。そのときには儀式はもはやおこなわれないだろう。肉体は清らかな霊となるであろう。〈流出の世界〉〔「神がみずからを原型の形で示現する」世界（チャールズ・ポンセ『カバラー』邦高忠二訳、創樹社）〕から、そして〈栄光の玉座〉の下から、新たな霊魂がおり来たるであろう。食べることも飲むこともなくなるであろう。生めよ、増えよ、の代わりに、もろもろの存在は聖なる文字の組み合わせで一つになることだろう。タルムードを学ぶことはなくなるであろう。聖書については深遠な本質のみがとどまるであろう。一日一日が一年の長さになり、聖なる霊の輝きが空間すべてを満たすだろう。ケルビムとオファニム〔どちらも後出のセラフィムとともに天使の階級、その天使たち〕が全能者〔神〕の讃歌を歌い、全能者ご自身が義なる人々を教え導くであろう。彼らの喜びは限りないことだろう。

レブ・イチェ・マテスの話はトーラーとミドラシュ〔ラビ文学の一ジャンルで聖書解釈、説教、物語等を含む〕からの説教と寓話に満ちていた。彼は天使とセラフィムの名前に精通し、〈転生の書〉と〈ラジエル〉から長々と引用した。天のあらゆる住まいを知っており、至高の階級組織の詳細をことごとく承知していた。疑いなく、ここにきわめて聖なる人物がいる、たしかに選ばれし者の一人だ。決定事項として、他言しないこと、そしてイチェ・マテスはその晩を向かい側に坐っているレブ・ゴデル・ハシドの家で過ごすこと、が取り決められた。朝になれば何をなすべきかがわかるだろう。レブ・ゴデル・ハシドは行商人の手を取って家に案内した。彼は自分のベッドをすすめたが、レブ・イチェ・マテスはかまど近くのベンチで寝る方がよいと言った。レブ・ゴデル・ハシドは客人に羊皮の上掛けと枕を渡して、寝室として使っている小部屋に引き下がった。しかし彼は眠れなかった。一晩中、ストーブの裏側から蜂がうなっているような低い音が聞こえてきた。レブ・イチェ・マテスはトーラーにいそしみ、部屋に窓はないのだけれども、彼は光に包まれていて、まるで月が彼を照らしているかのごとくだった。夜明け前にレブ・イチェ・マテスは起き、両手に水をそそいで、そっと学びの家に行こうとした。しかしレブ・ゴデル・ハシドは服を脱いでいなかった。彼はレブ・イチェ・マテスの腕を取り、こっそりとささやいた。「すべて見ましたよ、レブ・イチェ・マテス」

「ああ、しかし何か見るものがあったろうか?」とレブ・イチェ・マテスはつぶやき、頭をさげた。「沈黙が賢者にはふさわしい」

学びの家で、レブ・イチェ・マテスは品物を広げ、再び買い手を待った。朝の祈禱が終わると、彼は隅の方に大袋を置き、家から家へとゴライ中を行きめぐり、行商人がするようにメズーザーを調べてまわったが、行商人はたいていの場合、書記でもあるからだった。メズーザーに誤りを見つけるたびに、彼はその場で鵞ペンを使って訂正し、その家のあるじから小銭を受け取って、立ち去った。

そうやって、彼はレヘレの家まで来た。レヘレの家の戸柱のメズーザーは古く、白カビにおおわれていた。レブ・イチェ・マテスはやっとこをポケットから取り出し、そのしるし〔メズーザー〕を鴨居に取りつけている釘を引き抜いて、巻き物を広げ、光を求めて窓の方へ行き、その明かりで文字のどれかがぼやけていないかを確認した。神という語が完全に消えてしまっていることが判明し、また、全能者という呼称の最初の文字から右側の王冠が消えかかっていることがわかった。彼の両手が震えだし、厳しい声で彼は言った。「だれがここに住んでいるのか?」

「私の父がここに住んでいる――レブ・エレアザル・ババドよ」とレヘレが答えた。

「レブ・エレアザル・ババド」、と言ってレブ・イチェ・マテスはひたいをこすり、あたかも何かを思い出そうとしているかのようだった。「共同体の長ではないのか?」

「もう違うわ」とレヘレは言った。「今はくず拾いよ」そして彼女は急に甲高い笑い声をあげた。

ユダヤの娘がそれほど野放図に笑うのは、レブ・イチェ・マテスには初めてのことだったので、彼は目の隅で彼女をちらりと見たが、彼の目は左右が離れており、眉毛がなく、冷たい緑色をしていて、魚の目に似ていた。レヘレの長いお下げ髪はほどけていて、魔女の髪さながらで、羽毛や麦わらがいっぱいついていた。顔半分は赤く、そこを下にして寝ていたかのようで、もう半分は白かった。裸足で、破れた赤いドレスを着ており、そこから体のあちこちが光るように覗いていた。左手には陶器の鍋を持ち、右手には灰のついた麦わらの小ぼうきを持っていた。くしゃくしゃの髪のあいだから狂乱した目が二つ、狂人のように彼に笑いかけていた。イチェ・マテスの頭に、ここには目で見える以上のものがあるという思いが浮かんだ。

「おまえは結婚しているのか、それとも未婚の娘か?」

「未婚の娘よ」とレヘレは平然と答えた。「エフタの娘みたいにね、神へのいけにえよ!」

〔イスラエルの士師エフタは戦いから戻ったとき彼を最初に出迎えたものを神への燔祭として捧げると誓っ

たため、出迎えに出た娘を捧げることとなった。「士師記」第十一章）

メズーザーがレブ・イチェ・マテスの手から落ちた。彼は生まれてこのかた一度も、初めておのれの足で立って以来決して、そんな話し方を聞いたことがなかった。体がぞっとして、まるで冷たい指でさわられたかのようだった。このような神聖冒瀆から逃げ出したいと思ったが、それからそれは正しくないという思いが起こった。そこで彼は箱の上に腰をおろし、定規とインク壺を取り出した。鵞ペンをガラス片で尖らせ、それをインクに浸して、そして――それを再び彼のスカルキャップでぬぐった。

「こういうことは口にしてよいことではない」、と彼は少しためらってからレヘレに語った。「聖なる御名のお方は人間のいけにえをお求めにならない。ユダヤの娘は夫を持つべきであり、律法を心に留めねばならない」

「だれも私を望まないわ！」とレヘレは言い、足を引きずりながら彼のすぐそばに来たので、彼女の体の女性らしいにおいが彼を圧倒した。「悪魔がもらってくれるのでなければね！」

彼女はいきなり耳をつんざくような笑い声を立て、最後はあえぎ声になった。大きなきらきら光る涙が彼女の目からこぼれた。鍋が手から滑り落ち、粉々になった。レブ・イチェ・マテスは言葉を返そうとしたが、舌が重く、からからになった。食器棚、壁、床が揺れた。それでレブ・イチ字を書き始めたが、手が震え、インクのしずくが羊皮紙に染みをつけた。それでレブ・イチェ・マテスは頭を下げ、ひたいに皺をよせ、そして不意に秘められた意味を理解した。しばらくのあいだ、彼は自分の指の青白い爪をつくづくと眺め、そしてそれから独り言をつぶやいた。

「これは天から来たのだ」

第10章 レブ・イチェ・マテスは人を送ってレヘレに結婚の申し込みをする

そうしてカバラー主義者のレブ・イチェ・マテスは使いの者たちをレヘレに送り、彼らに指示して、彼女にこういう言葉を伝えるよう申しつけた。

花婿は男やもめであり、また、取るに足りない男である。全財産を挙げれば、まず綿のコート一着、これは安息日と週日兼用である。房付きの衣一着を素肌に着用している。布製のズボン一着。祈禱用ショール一つと、それといっしょに聖句箱二組。しかし創造主は憐れみ深く、創造したもうたあらゆるものに食べ物を恵み、イタチのような獣からシラミの卵にいたるまで養いたまう。レヘレが生まれる四十日前に天の裁定があり、この種、レブ・エレアザルの娘は、イチェ・マテスのものになると定められた。これ以上、何か言うべきことがあろうか？　レヘレは同意せよ、さすれば婚約が直ちに執りおこなわれるであろう。神の御心にかなえば、新郎は婚礼の贈り物を〈イスラエルの地〉にて与えることになろう。

次の者たちがレヘレに会いに行った。カバラー主義者のレブ・モルデカイ・ヨセフ、ラビの息子レヴィ、そして彼の妻ネヘレである。レブ・モルデカイ・ヨセフはいかにも彼らしく松葉杖で床をどんと打ち、レヘレに訓戒を垂れて、レブ・イチェ・マテスは聖者であり安息日から安息日まで断食をするほどだ、それゆえ彼を夫とすれば名誉であろうし、彼が居を定める町は悪から守られるだろうと述べた。ラビの息子レヴィは下唇を噛んで、少女の顔にじっと眼を据えていた。男たちを出ていかせて、ネヘレが女のことがわかる者として、あれこれ手はずを整える仕事に取りかかった。ネヘレは肩にトルコ風のショールをはおっていた。頭には絹のスカーフをかぶり、安息日かと思える装いで、二つの大きな金のイヤリングを耳にさげていた。良家の娘の流儀にならい、耳には何度も穴をあけていた。もったいぶった態度で、彼女は肉料理をする際に使うベンチに腰をおろし、足載せ台に足を置き、少女に身振りで向かい側――乳製品料理用のベンチを指し示した。それから大きな音を立てて鼻をかむと、布のドレスのかさばるすそで指を拭き、次のようにしゃべった。

「偉そうにしてちゃだめよ、レヘレ、あんたのお父さんは貧乏で、あんたを神さまの手にゆだねたのだからね。おまけに、あんたは具合が良くないわ(神さまが私たちをお救いくださいますように!)。もうみんなのうわさになっているし、しまいに不名誉なことになるでしょうよ。今はあんたを望む人が出たのだから、頭をベールで覆ってもらって、その人を受け入れなさい。そしてもしも結局あんたの気に入らない人だとわかったら、いつだって離縁状ってものがあるわ」

するとレヘレは、低能だとうわさされていたのだが、きゃしゃな両手で顔を覆い、身をかがめて静かに泣き始め、自分の身の上を嘆き悲しんだ――そしてすっかり知恵が備わっている者のように涙を流した。長い髪は床に届かんばかりで、少女らしい肩が震えた。ネヘレがしゃべると少女はすすり泣いた。胸がわななき、ひと言もしゃべれなかった。彼女がまだしくしく泣いているうちに、ネヘレは出産のときの女の悲鳴にも花嫁の甲高い悲嘆の声にも慣れているので、立ち上がって、出ていった。口元にうっすらとほほえみを浮かべて、ネヘレはあとで男連中に言った。「ええ大丈夫、あの子は全然狂ってないわよ！　レブ・エレアザルを連れ戻しなさいな、そうしたらあの子はすぐにボンネットをかぶるわ」

レブ・イチェ・マテスの友人たちは小銭を少し集め、使いの者を送って村々をまわらせ、レブ・エレアザルの居どころをつきとめて連れ帰るように手配した。使者は数日のあいだ出かけたままで、便りもいまだになかった。人々は不安げにささやいて、レブ・エレアザルも使者もコツィツァ村で殺されたのだとうわさした。その集落には魔術師がいて、人間の頭を縮めてしまうという話だった。そのあいだレブ・イチェ・マテスはレブ・ゴデル・ハシドの家の暗い部屋で待っていた。一日中彼は坐って身体を揺らしながら〈ゾーハル〉の補遺を読みふけり、ヤハウェ〔旧約聖書の神の名〕が持ついくつかの名前の数字上の組み合わせ〔ヘブライ語のアルファベットは数字としても用いられる〕に取り組んでいた。夜に、ほかのみなが寝静まると、彼はレブ・ゴデル・ハシドの家を忍び出て、沐浴場に行ったが、それは病人の養護所と古い墓地のあいだに位置していた。養護所の戸口には浄めの板が立てかけてあって、新たな亡骸を待ち受けていた。月明りのなかで、なかば地面にめり込んだ墓石はからかさ状の毒キノコみたいだった。沐浴場に入るとレブ・イチェ・マテスは一本のたきつけに火をつけて、たいまつのように掲げた。壁は煤で黒ずんでいた。猫たちがベンチからベンチへと飛び移って、黙って互いに追いかけ合い、目をぎらぎら光らせていた。熱く焼かれたいくつもの石は冷え切って、かまど近くにばらばらと置いてあった。レブ・イチェ・マテスは服を脱いだ。体には黄色い毛がびっしり生えていた。棘（とげ）や茨（いばら）の上で苦行をおこなった傷跡があった。無言で彼は曲がりくねった石段を通って水のある所におりてゆき、音を立てずにそっと水のなかに入り、しぶきを上げずに体を沈め、数分のあいだ姿を消した。ゆっくりと、また用心深く、まるで何か水生動物みたいに、彼はずぶ濡れの頭をもたげた。七十二回彼は身を沈め、アインとベイトの二文字が表す数〔ヘブライ文字のアインは七十を、ベイトは二を表す。カバラーでは神の名として七十二文字で綴られる名前もあるとされる〕に合わせた。やり終えると服を着て、真夜中の祈りを唱えに出ていった。

　レブ・イチェ・マテスはレブ・ゴデル・ハシドが彼にわりあてた部屋で、夜明けまで休みなく動いた。その家の主婦を煩わせるよりはと、彼はオイルランプの灯芯に火を灯さずにいた。頭に灰を振りまいて、闇のなかで壁から壁へと大またに歩き、祈りの文句を朗誦し、神殿〔紀元前六世紀にバビロニアが、紀元七十年にローマ軍が破壊したエルサレムの神殿〕の崩壊を嘆き、〈聖なる者〉〔神〕、そのお方は幸いなるかな、そのお方がイスラエルとともに流浪へと出ていかせた〈神の臨在〉*を取り戻してくださるように、と懇願した。祈りの合間に彼は沈黙し、あたかもこの世ならぬ世界で起きていることがらに注意を向けているかのようで、彼の耳だけが聞きわけられるといった様子だった。外では風が吹いて、雨戸をがたがた言わせ、引き裂くような赤ん坊の泣き声と母親の単調な子守歌を運んできた。レブ・ゴデル・ハシドははっと眠りから覚め、女房を起こして、言った。「レヘレにはものすごく名誉なことだよ。レブ・イチェ・マテスは聖者だ。彼女も有徳であるに違いない」

* シェヒーナー。女性的な存在と考えられ、カバラーでは「神における女性要素」〔ゲルショム・ショーレム『カバラとその象徴的表現』小岸昭／岡部仁訳、法政大学出版局〕ととらえられている。シンガーはエッセイで次のように述べている。「ユダヤ人が罪を犯したとき、神がシェヒーナー——神の女性要素——と分離する事態を引き起こした。神とシェヒーナーの真の統合はユダヤ人が掟に背いたことを悔いて、神と神のトーラーに立ち返ったときに初めて起こりうるだろう。神、ユダヤ人、そしてトーラーは一つである、と〈ゾーハル〉は我々に語っている。」("The Making of a First Book," *Old Truths and New Clichés*, Essays by Isaac Bashevis Singer, ed. by David Stromberg)

人々は八日が過ぎても待っていたが、それでもまだレブ・エレアザルについても使者についても知らせは何一つなかった。ゴライにやって来た農夫たちはだれもが問いかけられた。

「何か聞いとらんかね、イワン、レブ・エレアザルのことをさ、レンガの家のあるじだよ。それともひょっとしてレイブ・バナフに会わなかったかい、よく馬の尻尾の毛を買ってたやつだが？」

しかし農夫は羊皮の帽子をくしゃくしゃの髪のうしろに押しやって、ひたいをこすり、遠くに目をやって、記憶を呼び起こし、まばたきして、申し立てるのだった。「何も見とらんよ、何も聞いちゃおらん……」

そして深い泥のなかを大またで歩き去っていくのだった。

こうしてゴライは夫に去られた妻を新たに一人、そして孤児を新たに一人手に入れることになった。カラスたちがカアカア鳴いて、悪い知らせを屋根から広めた。レブ・イチェ・マテスはそれを知らされていない唯一の者で、それというのも、知ればたしかに彼がふしあわせな気持ちになるだろうからだった。〈使者のレイブ・バナフ〉の女房は七日間の喪に服した。レヘレは目を泣きはらし、町の良き女たちが彼女の面倒を見た。彼女たちは小さな鍋にごちそうを整え、古い衣類を作り直して彼女が着られるようにしてやり、慰めに訪れてはおしゃべりをして悪霊を遠ざけた。〈信心者のチンケレ〉はレヘレといっしょに夜を過ごし、悪鬼が彼女に取りつかないようにした。

レヘレは病気だった。持ってきてもらうごちそうもほとんど口にせず、月経がなくなった。何時間もあてどなく、まるで檻のなかにいるように家のなかを動きまわり、あらゆる割れ目やすき間に目を凝らした。ときどき、なんの理由もなしに涙が、雨上がりの木みたいに目からこぼれ落ち始めた。また別のときには、急に笑いだし、あまりに大声なので、こだまが反響して、荒れ果てた家のあらゆる廊下やくぼみに鳴り響いた。夜は、床につく前に、自分の部屋の窓にありとあらゆる古い布切れを垂らしたが、それは月の光が怖いからだった。けれども月明りできらめく夜が割れ目を通してこっそり入り込み、色あせた壁に光が色をつけて、糸に通した真珠の長い連なりとなってちらちらした。レヘレはネグリジェのままベッドから這うようにおりて、ストーブの裏側で耳を澄まし、ネズミたちの引っ掻く音と、薪がはぜる乾いた音に聞き入った。ときおりカラスが一羽、彼女の部屋の窓の外で目を覚まして、しゃがれた鳴き声を上げた。ある日レヘレは、通りの向こうの雪に覆われた栗の木が花を咲かせ始めたと想像した。

数日のあいだレヘレは男が一人、笑ったりわめいたりしているのを真夜中に聞いていた。〈信心者のチンケレ〉が寝入るたびに、レヘレは彼女の肩を引っ張って起こすのだった。「チンケレ、怒らないでね」、と彼女はすまなそうに言うのだった。「どうしてだか、落ち着けないの」

「我慢するんだよ――すぐにレブ・イチェ・マテスと結婚することになって、そうしたら何も悪いものは近づいてこないだろうからね」、とチンケレは言うのだった。「あの人は聖者で、天があんたを救うために送ってくださったんだよ」

「チンケレ、ねえ、私、あの人がとっても怖いの！」とレヘレが抗議して、声が乱れた。

「死んだ目をしてるのよ！」

「ばかな子だね！」とチンケレが叫び、ひどく怒った。「そんな悪夢は神さまがあんたの敵たちに送ってくださいますように！　さあ、私のそばで横になり、そうしたら私が悪霊を追い払ってやるよ」

レヘレがチンケレのそばで横になると、彼女は呪文をささやいた。それから〈信心者のチンケレ〉はいびきをかき始め、細い鼻からひゅうひゅう音がした。いきなり古布が窓から落ちて、部屋が昼のように明るくなった。今やレヘレには何もかもはっきり見わけがついた。炉の上の鍋類、あちこちの壁のクモの巣、そして東の壁に掛かっているつづれ織りの獅子たちは頭をそむけ、舌を突き出している。チンケレの目の一方は半びらきでどんよりとし、もう一方はしっかりと閉じていて、まるで液がそこから流れ出てしまったかのように縮んでいた。チンケレの目の隅は皺だらけなので、寝ながら笑っているみたいだった。起き上がって、レヘレは膝に頭を伏せ、雄鶏が時を告げるのを待った。両腕両足が痛み、脳が頭蓋骨のなかで砂粒のようにぼろぼろと崩れ、考えは頭のなかをハエのようにぶんぶん飛びまわった。視線を上げて、雪に覆われたまばゆい風景をじっと見つめて、何本もの針で刺されたように身震いし、つぶやいた。

「もう力が残っていない！　お情け深い神さま、私をお取りください！」

第11章　ルブリンからの手紙

一人の使節がルブリンからゴライへやって来て、ラビ・ベニシュ・アシュケナジ宛ての手紙を携えていた。聖なる言語で記してあり、凝った装飾をした小さな文字を用いて、署名は末尾を飾り書きにし、こう書いてあった。

「聖なる教えの師、義の人であり世界の礎（いしずえ）に宛てたる書簡、ヤキンとボアズ〔ソロモン王がエルサレムの神殿の前に立てた二本の柱の名で、南の柱をヤキン、北の柱をボアズと名づけた。「列王記上」第七章二十一節、「歴代誌下」第三章十七節〕にしたためるがごとく、我らが家の柱である方、その方に対しては主への畏れと知恵の扉が決して閉ざされることなく、我らが世代の誇りであり栄光である方、その学識が山々をも砕き、微塵にすり潰してしまう強き槌、我らがラビであり指導者、神の人――すなわち、ラビ・ベニシュ・アシュケナジに宛てたる書簡、その光が永久（とわ）に永久に輝かれんことを、そして長く幸せな年月を平安のうちに過ごされんことを、アーメン。

「私は知らせを耳にし、産みの苦しみにある女のごとく激痛と苦悶に襲われ、そして大きく悲痛な叫びを上げた。かく申すは、邪悪な者どもが起こり、ベリアルの子ら〔「よこしまな人々」「申命記」第十三章十三節〕がこう言ったからである、『きずなを断ち切り、聖なる教えと神（そのお方は幸いなるかな！）の軛を打ち壊せ』と。そしてまことに彼らは折れた葦を杖と頼み、ほかの者たちを罪へと導くあの罪深き者、ネバテの子ヤラベアム〔ソロモン王の死後、南北に分裂した北王国の王。「ヤラベアムはその悪い道を離れて立ち返ることをせず」（「列王記上」第十三章三十三節）参照〕のごとき者を頼りとした――サバタイ・ツェヴィがその名である、彼が命の書から消し去られんことを。必ずやあなたの耳にその世評は届いているに相違ない、と申すのも次のような叫びが初めてユダのあらゆる領域に達してから今ではもう何年にもなるからだ――すなわちメシアの時代は近い、新たな預言者たちが起こり、予見者、占星家たちが現れた、そしてその者たちが宣言して言うに『〈天地創造〉から五四二六年〔一六六五年〕〔英語訳による挿入〕の年に我らの救い主が来たる。彼はサムバチオン川を越えてその向こう岸へ渡るであろう。そこで彼は我らが師モーセの十三歳の娘を妻とするであろう。そののち彼は我らのもとへ獅子に乗って戻りきて、大いなる戦いを地の民に挑み、ダビデ王の倒れた幕屋を起こすであろう』というのである。私ただ一人、ユダの何千もの人々のなかのこの小さき者は、表明するが、この異邦の風説に耳を傾けたことも、いささかの信を置いたことも断じてないと申さねばならぬし、またこの風説は誉れ高き我らの今は亡き賢者たちの言葉によるなんらの是認もなく、〈ゾーハル〉やその他のカバラー主義の書物における間接的な言及の流れをくむものであって、それについて私はむしろ口を閉ざしたい。私はわが口を抑え、それらの言説によって焼かれることのなきようにしよう、と申すのも、それらに噛まれるは狐に噛まれるようなもの、刺されるはサソリに刺されるようなもの、そうした類であるからだ。これらの知らせはポーランドに存するイスラエルの天幕に大いなる混乱をもたらした、と申すのも殺人者フメリニツキー（その名が滅びんことを！）の手にかかり我々が被った傷、そして彼同様の他の残酷な者たちから受けた傷がまだうずいており、イスラエルの残りの者は大いなる貧困に陥り、我らの誇りは地に落ちている――このようなことはイスラエルがその地から追われた日以来、目にしたことも耳にしたことも絶えてないのである。これらの知らせが届いたことごとくの町では、次々と愚かで軽率な者たちが現れ出て、熟慮もせぬままもみ殻を小麦ともども受け入れ、邪悪な者どもが彼らの足元に広げておいた網に自ら落ち込んだ。同様に、知恵もあり知識もある多くの者たちがその網にかかるか、さもなくば口をひらくことを恐れて、意に反してアーメン〔しかり、よろしい、の意〕と叫んだ。貴殿もよくご承知のとおり、長い時を経なければトルコの王権のもとにあるあれらの地から何か便りが我らの耳に届くことはなく、また、ほとんどの場合そうした便りにはなんら実質がなく、真偽が入り混じっているものである。それにもかかわらず、日々新たな知らせが実際に届き、穢（けが）れた、ぞっとさせるものであり、我々の心を蝋のように溶かし、膝から力を奪ってゆく。かく申すは、証人たちがまさしく宣誓して、サバタイ・ツェヴィが実に神の聖なる御名を口にし〔畏れ多いとしてユダヤ教徒は神の名を口にすることを避ける〕、その名に含まれる一文字一文字を声に出すのだと証言し、また、彼が実際に不浄の者どもの名前を用いて魔術をおこない、自然のなりゆきを変えて、彼とその教えを人々が信じるようにする、と言うからなのである。またこういう話もあって、彼は手紙のなかでみずからを「我、汝らの神、サバタイ・ツェヴィ」と称しているというのである。このようなことがらを聞く耳は災いなるかな、そしてそれらを見る目は災いなるかな！　なんとなればこれは神聖冒瀆であり、主を愚弄することであり、それについてはこう言われている。『ゲヘナの劫火は消されるであろう、しかし彼らの火が消されることはなく、彼らは生きとし生けるものすべてにとって忌まわしいものとなるであろう』この私、人々のなかでもっとも小さき者は、このことの根源を探ろうとしてきた――だがだれが腰に帯して〔覚悟して試練に臨む、といった意味。「ヨブ記」第三十八章三節など〕立ち向かえよう、この者たちはその腐敗した信念にいささかの疑念でもあえて投げかけようものならその人々すべてを生きたまま食い尽くす――この、真珠と砂をより分けようとしない多勢を相手に太刀打ちなどできようか？　だれにわかろう、サバタイ・ツェヴィのもくろみは偶像崇拝の偶像になることかもしれず、マホメットやほかのあらゆる者たち、神の言葉を捏造(ねつぞう)し、世を穢してきた者たちと同様であるのかもしれない。もし我々、ポーランドの知恵ある者たち、この世代の牧者である我ら自らが彼のなしたることとその行状を知っておりさえしたならば、我々はトーラーの弓矢をもって武装し、進み出て彼を迎え撃てたかもしれず、また彼に戦いを、神のいくさを挑み、ついに彼は完全に滅び去ったかもしれなかった。だが、悲しいかな、我々はその者を知らず、知るまでは、明白な証拠を持って立ち向かうことができない。我々はその間じっと待ち、やがて時が明かしてくれるものを目にする日まで待たねばならない。そしてあまたの人々が彼に関して実に間違いを犯しているけれども、私は生ける神に誓ってサバタイ・ツェヴィは我らのメシアではない、我らの目がこのほぼ二千年のあいだ待ち焦がれてきた方ではないと断言する。かく申すは、彼の唇からは偽りと欺瞞がしたたるからである。そそのかす者、誘惑する者であり、『私はヤコブを食らい、その住まいを荒らすであろう』と語った者であり、ゆえに必ずや彼は破滅を迎えるであろう。かく申すのも、いったい〈イスラエルの永遠なるお方〉に逆らって立ち、栄えた者がかつていただろうか？　彼の最後は悲痛なものであろう、そして「レビ記」第二十六章と「申命記」第二十八章にある神の呪いのすべて、またヨシュアがエリコに報いたあらゆる災い（「ヨシュア記」第六章）が必ずや彼の頭に振りかかるであろう、アーメン、神のご意志のままに。

「また私はこうしたすべてのことを書いたりはしなかったであろう、と申すのも時がまだ熟しておらず、我々はその間手紙を捏造する者たちや月の光を紡ぐ者たちに頼らねばならないからである（先に述べたとおりである）。しかし偶然のことから知らせが私に届き、貴殿の聖なる共同体に一人の男が到来したと知るところとなった。その名をイチェ・マテスという（そういう名であり、そういう人物だ――彼の名は愚かであり、愚かさが彼に備わっている)。そしてこの捏造者である者は実に自ら偉大な男であると称して、欺く者たちすべてがするようにおこなう。彼は落とし穴を作り、老いも若きも落ち込むように掘って、敬虔を装い、なじみのないやり方で虜にするが、それに類するものをこれまでだれも目にしたことがないのである。彼の話すことから、人は彼が安息日から安息日まで断食をするのだと信じることになり、いく度も儀式沐浴場に身を沈め(片手にネズミを握って!)、ありとあらゆる苦行で体を苛むのだと信じることになる——こうしたことすべてを彼は口にし、おこなって、正しく歩んでいる人々を誤らせ、彼らを義の道から誘い出し、異端のもっとも深い穴に投げ込むのである。そういう者たちについて、ソロモン王、あのあらゆる者のうちでもっとも賢明なる者は、まさしくこう述べられた。「すべて彼女のもとへ行く者は、帰らない。また命の道にいたらない」(「箴言」第二章十九節)。かく申すは、この男は神の力によって働きをなすのではなく、むしろ悪魔のそれによって働くからである。まさに彼は魔術をおこなう。まさに彼は霊に尋ね、彼の杖は彼に向かって宣言をし、彼は悪鬼どもと契約を結んだのである(「わが民は木に向って事を尋ねる。またそのつえは彼らに事を示す。これは淫行の霊が彼らを迷わしたからである」(「ホセア書」第四章十二節))。このことは偉大なる人々、世の王たちによって明かされてきた——そして、さて、世の真の王たちとはだれであろうか? それは我らが師たち、ラビたちである。彼の足の裏が踏むことごとくの場所で、彼は病人を癒し悪霊を追い出すためと称して治療と魔除けをばらまき、まるでカバラーのぶどう園にあえて分け入りながらも無傷で姿を現すことのできる、あれらの師たちのようである。だが真にカバラーを知る者たち、そのさりげない言及や奥義を理解する者たちが彼の魔除けを綿密に調べたところ、彼が用いているのは悪鬼や女悪鬼どもの名であり、小鬼や厚かましい猟犬どもの名であることが判明した（神が我らを助け、お守りくださるように！）。そして彼の魔除けは役に立たないばかりでなく、誠実な男たちはもちろん、無垢な子供たち、罪というものをいまだ知らなかった者たちまでもが、長患いのあげくに、尋常ならざる原因によって死にいたらしめられている。わが全身はまことに総毛立つ、と申すのも、悪魔どもはそれらを利用する者たちを支配下に置き、その報いを彼らにくだすが、それは現世にも来世にもともに及ぶからである。かく申すは、それらは魂に取りつき、ありとあらゆるやり方で穢すからである。ラビたち、神を畏れ欠けたるところのない魂の人々はたびたびイチェ・マテスに警告し、そのおこないをやめるように戒めてきた——と申すのも罪人は罰する前に警告してやらねばならぬからだ。しかし彼は心のなかで義なる人々の語る言葉をあざける。彼は口で猟犬のように吠えたて、百五十もの議論を考え出して不浄なるものを清らかだと宣言する。しかしひそかに彼はサタンとリリス〔リリト。女の悪魔〕にしがみつき、彼らに犠牲を捧げる。まさしく悪鬼どもに彼は捧げ物をするのであり、生ける神にではない。彼の服の小袋には捏造した手紙が詰め込まれており、それはこの時代のもっとも偉大なる人々からのものとされており、彼の唇からは欺瞞がしたたり落ちる。甘言（かんげん）を振りまく舌でまさに彼はしゃべり、歯茎の下には毒がある。さらに悪いことに、この偽預言者はたえず憂鬱に沈み込むが、憂鬱の根源は色欲であり、それは我らの賢者たちによってはっきりと証明されているとおりである。訪れることごとくの町で彼はいずれかの女の心情に語りかけ、婚姻の絆で彼と一緒になるようにと言うが、その目的はその女を不浄にし、悪評をもたらすためである。かく申すは、結婚すると、彼の妻たちはみな彼から去ってゆくのだが、それは彼の忌むべき行状のゆえなのだ。あまりに魔術を使ったため、彼自身がそのクモの巣にかかってしまい、もはや男としての役割を果たす力がないのである。その家によりかかろうとすれば、家は立たず……〔「ヨブ記」第八章十五節〕。それにもかかわらず、彼は彼女らを離縁しようとせず、そして彼女らを放置し、捨てられた女とし、彼女らの頬は涙に濡れ、彼女らの悲痛な叫びは天を引き裂き、頼るものもないままにする。彼に災いあれ、そして彼の魂に災いあれ、その魂はひそかに泣くであろう。日を呪う者が、これを呪うように。レビヤタン〔聖書に出てくる海の怪物〕を奮い起こすに巧みなものが、これを呪うように〔「ヨブ記」第三章八節〕。

「そして今、貴殿に願わくは、器ではなくそのなかに入っているものにご留意賜りたい、そしてこの邪悪なる男に御身の神聖なる会衆、その令名はそそがれた油のようであり、ヘンナおよびナルド〔「雅歌」第四章十三節。いずれも乙女が譬えられている園に生える香料〕のようである人々のなかに根をおろさせないでいただきたい。彼のそれとない言及や虚言に御身の耳を傾けてはならない。彼を根こそぎ除き去られよ。彼を打ち、頭を砕き、恥辱とあざけりの的とせよ、そうすれば御身のただなかより悪を取り除くこととなり、神の助けによりて他の聖なる会衆で果たされたようになるであろう。かく申すのも、足の裏からまさに頭にいたるまで彼には健全なところがまるでなく、傷と痣と膿を持った腫れ物があるばかりだからである。彼の顔からベールをはぎ取られよ、高きところにおわすお方の名を聖なるものとし、邪悪なる者にその邪悪さの報いを与えるために。彼の流した血は彼自身のこうべに帰せしめよ。天が下からアマレクの記憶を消し去れ〔「出エジプト記」第十七章十四節。アマレクはイスラエルに敵対した民族〕。恥辱のうちに彼を追い出し、ほかのあらゆる偉大な者たちがそれぞれの町でおこなったようにおこない、彼の裸をみなが見えるようにさらけ出し、世界には裁く者と正義があるのだと彼が知るように、そしてイスラエルは男やもめではないと知るようにせよ〔女性的存在とされている〈神の臨在〉がイスラエルとともにいるということ〕。かく申すは、大水がまさに魂にまで及び、もはやこうした偽善者や預言なるものを言いふらす者たちを耐え忍ぶ力はないゆえであり、こうした者たちはユダの枝――すなわち、賢者の弟子たち――を引きむしり、彼らを完全に葬り去ろうとしているのである。この紙はあまりに短く、すべてを言いつくすことができない。知恵ある者に授けよ、すればその者はますます知恵を得て〔「箴言」第九章九節〕、一つのことからさらに別のことを理解するであろう。そして神は我らの側に立たれて、蛇の吐く泡やバシリスク〔アフリカの砂漠に住み、その吐く息に触れたりにらまれたりした者はたちまち死ぬといわれた伝説上の爬虫動物〕の毒から世を浄めてくださるであろう。これをもって私は言い終え、砕けた悔いた心〔「詩篇」第五十一篇十七節〕で、そしてよろめく膝で、筆を擱く。

「──我、人々のなかでもっとも小さき者であり、キツネの尾、賢者に踏まれる敷居にすぎぬ者より。虫であり、人にはあらず、みなにあざけられ、さげすまれる者〔「詩篇」第二十二篇六節〕。聖なるラビ・ナフム（義なる人の思い出に幸いあれ！）の息子、ヤコブ、かつては聖なる共同体ピンチェフの長であり、今は聖なる共同体ルブリン（神がそれを守り、盾となられんことを！）の住人より」

第12章 ラビ・ベニシュがサバタイ・ツェヴィ一派との戦いに備える

ラビ・ベニシュはサバタイ・ツェヴィ一派との戦いに備えた。彼はグルナムを遣わして行商人のイチェ・マテスを調べ上げ、彼のやり方を知って、祈りの家の柵に禁止命令を掛けて、外国からの冊子を読んではならないと命令を出した。ラビ・ベニシュは魔除けを持っている者全員にそれを持参して調査を受けるようにと求めたが、それというのもうわさが広がっていて、不浄な悪鬼どもとサバタイ・ツェヴィの名がその多くに書き込まれていると言われていたからだった。安息日にラビは祈りの家で、朝の祈りと昼の祈りのあいだに説教をして、「雅歌」の一節「愛のおのずから起るときまでは、ことさらに呼び起すことも、さますこともしないように」〔「雅歌」第二章七節〕を説いて聞かせた。終末を早めようと試みることは罪であると指摘した。そしてまたラビ・ベニシュは会衆に、過去に現れた偽メシアたちについても語って、そういう者たちのせいでユダヤ人が受けた迫害の話をした。カバラー主義者の若者たちにいつものような真夜中の集会をひらかせまいとして、彼は命令を出し、学びの家と沐浴場を夜遅くには閉ざすようにした。レブ・イチェ・マテスはもはや真夜中の祈りの時刻の前に沐浴場で身を沈めることができず、町の向こうの池まで出かけざるをえなくなり、手斧を持参して氷に穴をあけることになった。若者が二人、彼の前を歩いて木製のランタンで行く手を照らし、くぼみや穴だらけの道を先導した。レブ・イチェ・マテスは〈創造の書〉〔ヘブライ語による現存する最古の体系的で思索的な思想書〕を携えて悪霊を追い払った。無言のまま、ため息一つつかずに、彼は服を脱ぎ、水に身を沈めた。氷にあけた小さな割れ目を見失わないように、彼はロープにしがみついた。身を浸したあと、凍えた体をすぐに服で覆わなかった。それどころか、雪のなかを転がって、己の罪を数え上げた。自分が子宮にいたときに母親に与えた苦痛に対して許しを請いさえした……。ラビ・ベニシュは彼を「愚かな狂信者」と呼んだ。

　年老いたラビの憂鬱な気分はどうしても消えなかった。サバタイ・ツェヴィ一派がゴライで勢力を得てからというもの、彼は家族の者たちをどなるようになり、宗教上のしきたりについて尋ねにくる女たちにそっけない態度をとった。訪問者に「あなたの来訪に神の恩寵がありますように」と挨拶するのをやめ、定足数〔公的な礼拝をおこなうために必要な人数。十三歳以上のユダヤ人男子十人が必要とされる〕の人々といっしょに礼拝するのを避けた。重い荷物を背負っているように体が前かがみになって、日中によくうとうとした。これは彼には珍しいことだった。真夜中に家族の者を起こして、体が痛くて眠れないからベッドを整え直してくれと言うことがよくあった。日暮れになると、雨戸を閉ざすように命じた。手紙をたくさん書いたが送ることはなく、それらはテーブルや床に散らばっていた。どれほど頻繁に夕食を台所から彼のところへ運んでも、冷めるままにしてあって、相変わらず手つかずで下げねばならなくなるのだった。もはや日々の課業を学生たちとおさらいすることもなく、飢饉やはやり病のときのように、自分のベッドを寝室から取り除くようにと命じた。顔は黄ばんで、皺が寄り、老年がにわかに彼を襲った。あるときは一晩中横にならずに遺書を書き、それを夜明けにかまどで燃やした。またあるときは、信頼のおける者を十人呼び入れて、言明し、自分は信仰に忠実なままであること、そしてそれに反するいかなる陳述を死ぬ前にしたとしても、それは真実と妥当性を欠くものとみなすようにという趣旨の宣言をした。彼はまたこの宣言を彼の鵞ペンで羊皮紙に書きとめ、証人たちに命じてそこに署名させた。そのあと何日ものあいだ町はこの件についてのひそひそ話で持ちきりとなり、それというのも人々にはその意味が理解できなかったからだった。とうとう、〈ヤボクの渡しの書〉〔カバラー主義者アーロン・ベレキア・ベン・モーゼズが一六二六年に出した病人や臨終、埋葬、服喪に関する解釈や掟、慣習についてまとめた書物〕のなかに、彼らはある一節を発見したが、そこには、サマエル〔悪魔の名〕が片手に抜身の剣を持ってあらゆる瀕死の男のもとを訪れ、神を否認するようそそのかす、それゆえそのような神聖冒瀆を前もって無効にしておくことが最善だという説明があった。このことから人々は、ラビ・ベニシュは自分の最後に備えているのだと結論づけた。

そうこうしているうちに、驚くべきいくつかの事態がゴライで起きつつあった。話によれば、カバラー主義者のモルデカイ・ヨセフが学びの家の屋根裏で粘土をこねてゴーレムを作っている、そしてそれがメシアの産みの苦しみのときにユダヤ人を助けに来てくれるかもしれないというのだった。モルデカイ・ヨセフと一人の少年が粘土の大袋を引っ張って階段をのぼるのを見たと言う者がいた。レブ・イチェ・マテスについては、彼が夜ごと魂の上昇を体験している、そして聖なる人ラビ・イサク・ルリアが彼を訪れて、彼にカバラーの神秘を明かすのだとうわさされた。レブ・イチェ・マテスがゴライに来て以来、その町のユダヤ人たちは神に立ち戻ろうと心を決めた。男たちは夜明け前に起きて詩篇を朗誦し、女たちは月曜日と木曜日に断食をして、食べ物を入れた深鍋を救貧院に届けた。一人の既婚の女は、ある安息日に祈禱台を叩いて、不浄の日のあいだに夫と寝たと告白した。若い新婚の者たちは沐浴場で身を浸した夜に妻のもとを訪れなかった。少数の選ばれた人々が夜ごとレブ・ゴデル・ハシドの家に集まり、レブ・イチェ・マテスがトーラーの神秘を彼らに明かした。

テベット〔西暦の十二月～一月〕の第十七日の夜、レヘレはレブ・イチェ・マテスと婚約した。婚約の宴がレヘレの家の二階で催された。ベンチやテーブルがいくつか部屋のあちこちに置かれて、一区画は男性用、もう一区画は女性用とされた。土壇場になってレヘレの気が変わり、泣き出して、イチェ・マテスを望んでいないのだと言った。だがなだめすかされ、贈り物をもらって、とうとう再び同意した。今、彼女はおおぜいの女たちに囲まれ、絹のドレスを着て、ひたいをスカーフで覆い、チンケレのものであるビーズの首飾りをかけていた。顔は蒼ざめてゆがみ、きらきらした大きな目は涙でいっぱいだった。花嫁の気を紛らわせて気分を引き立てようと、女たちは躍起になって彼女の美しさをほめたたえ、髪をなでて、元気づけにかび臭い柑橘類のジャムをいく匙か食べさせた。レブ・イチェ・マテスは絹のカフタンを着て、信奉者たちに囲まれて男性用のテーブルについていた。かまどの火がかき立てられ、そのため壁は結露して、丈の高いろうそくは陶製の燭台でどんどん溶けたので、芯を頻繁に切り詰めねばならなかった。レブ・イチェ・マテスは上機嫌で、顔は紅潮し、目がきらめいていた。しきりに聖なる性的結合の神秘をほのめかし、カバラーにおける聖なる文字の新たな組み合わせや並べ替えを事細かに説明し、その一方でブランデーやスパイスのきいたぶどう酒を注いでふるまっていた。ひどく有頂天になったので、彼は女たちに踊るように言い、花嫁になる者を楽しませてほしいと告げた。そこで〈信心者のチンケレ〉が立ち上がり、テーブルを脇に除けるようにと言った。ボヘミアの出だったので、彼女はその土地の習慣どおりにやった。若い女たちは彼女をばかにしてげらげら笑ったが、チンケレには聞こえないらしかった。幅の広い、襞のある袖に包まれた細い両腕を広げ、小さな頭を一方にかしげて、円を描きながら、彼女は昔の様式化されたイディッシュ語で歌った。

お守りあれ、主なる御神、この花嫁、花婿を。
願わくは我らが疾くメシアにまみえんことを。
〈聖なる臨在〉、主なる御神、結ばれよ、
これなる二人、婚姻の床を求めるゆえに。

有頂天になって〈信心者のチンケレ〉は輪になって踊るよう女たちに言ったが、女たちは恥ずかしがって、敷居のあたりに寄り集まり、互いを前に押し出そうとしていた。チンケレは花嫁と踊ろうとしたが、レヘレの足が不自由なので思いとどまらざるをえなかった。すると、汗ばんだひたいを袖でぬぐいながら、イチェ・マテスが立ち上がって、チンケレに近づいた。彼はハンカチを胸ポケットから引っ張り出して、一方の端を持ち、チンケレに向かって、口の隅で話しかけ、直接彼女に言葉をかけないようにして言った。「端を持ちなさい！我らが尊き神の御前で踊るのは神にとって喜びとなる」

レブ・イチェ・マテスはカフタンのすそを引っ張り上げて、白いリネンのズボンと短い衣の房飾りをあらわにし、両目を左手でおおって、足を床にこすりつけ始めた。婚礼の踊りのときの花嫁のように、チンケレは彼女が婚礼で着た鬟飾りつきのサテンのウェディングドレスのすそを持ち上げて、先の尖った靴で前後に跳ねた。ボンネットのきらめくビーズがじゃらじゃら鳴り、くぼんだ頬がぽっと赤らんで、輝く涙が瞼からぽたぽたと落ちた。最初はみな、仰天して眺めた。いく人かがこれは罪深い軽率なふるまいではないのかと疑いさえした。しかしすぐに、この踊りはただの踊りではないと気づいて、彼らは押し黙った。大きなできごとが起こりつつあるのだ。あまりに静まりかえったので、ろうそくの炎のぱちぱちいう音が聞こえるほどだった。男たちは寄り集まり、うるんだ目を大きく見ひらいてじっと見つめた。背の高い、飢えた顔つきの若いカバラー主義者が、のど仏の目立つ男だったが、祈りの最中のように激しく体を揺らし、関節が鳴るほど指をぎゅっと握りしめ、顔をしかめ、目を細めた。レブ・モルデカイ・ヨセフは松葉杖にすがって、隅に立っていた。彼の乱れたあごひげは燃えるように赤く、眼球は緑色にちらちら光り、滝のような汗が顔を流れ落ちて、体全体が発作的に引きつるように動いた。続けざまに何時間も二人は疲れることなく踊った。彼らの魂は地上よりも高い領域に届こうとしているかに思えた。レヘレはその間ベッドの端にもたれかかって、両手で顔をおおい、あたかもひそかに泣いているかのようだった。不意に彼女は悪い方の足を引きずって、まるで前に踏み出そうとしているかのように、体をしゃんと起こして、ひどく激しく、大きな声で笑い出したので、だれもがびっくりした。だれかが手を差し伸べるより早く、彼女は倒れてしまい、横たわったまま泣きじゃくって息を詰まらせた。目はどんよりとし、両手両足をねじ曲げ、ゆがんだ口からは泡が流れた。身震いし、もがき、湯気が彼女の体から立ちのぼり、消えかかった燃え残りから上がる蒸気のようだった。

レブ・イチェ・マテスは何も気づかなかった。相変わらずハンカチを片手に持って踊り続け、両足はまるで酔っ払いの足みたいにもつれ合っていた。顔は謎めいた熱狂で輝き、絹のコートはびしょ濡れだった。玉の汗があごひげを流れ落ち、はだけた胸を滑っていった。帯は落ちてしまっていて、カフタンのすその一方は濡れた床を這い、頭は上を向いて傾き、あたかもたえず何か天井の向こう側のものを凝視しているかのようだった。

もはや自分を抑えきれずに、レブ・モルデカイ・ヨセフはうめいて、松葉杖で床をどんどんと叩き、いきなり跳ねまわり始めて、泣きじゃくり、すすり泣いた。「踊れ、男たちよ！遅れんようにしよう！　天上の方々が我らを待っておられる！」

第13章 「あっちの者たち」が現れる

真夜中過ぎだった。ゴライ一面に広がる明るい夜に、風が吹き、強風がさらさらした雪を吹き払い、運び去って積み上げ、山を作った。凍りついた大地がむき出しになった。木々は冬の白装束を振り落とした。枝が折れた。苔が急に家々のてっぺんに現れた。冬の真っただなかに屋根が世間に顔を出し、朽ちた屋根板や補修材もろとも姿を見せた。カラスたちが目覚めて、しわがれた声で鳴き、何か思いがけない悲しみで嘆いているようだった。雪片が渦を巻き、野生のガンのように空中を旋回した。黒ずんで畝のある雲は穴や裂け目だらけで、その合間をぬって、のっぺりした月が空を駆け抜けた。町が突然に変化する宿命にあって、それを明けの明星の出る前にやり遂げねばならないのだと思う者がいたかもしれなかった。

その夜、ラビ・ベニシュはいつもより遅く書斎のベンチベッドに身を横たえた。白いズボンと祈禱用の衣を身につけたまま彼は横になり、やわらかい羽毛枕を三つ重ねて、掛け布団をかぶった。それにもかかわらず、彼は寝つけなかった。ひゅうひゅう、ごうごういう音が炉から湧きあがり、ときどき澱んだ空気のなかに、苦悩する魂がつくようなため息が聞こえた。使うにはもう不向きとなった古い宗教書が屋根裏に高く積み上げられていて、梁は振動し、鈍いどしんという音が何度か上から聞こえてきて、まるでだれかが重い物をあちこち動かしているかのようだった。土のかまどには燃料をくべてあり、窓は閉ざして編んだ麦わらでふさいであったけれども、冷たい突風があたりに吹きわたり、ラビ・ベニシュの老いた手足を凍えさせた。

ラビ・ベニシュは眠れなくなったときにいつもするように、トーラーに集中しようと試みた。しかし今夜は思索があまりに速く駆けめぐり、互いにくっつき合い、もつれ合った。瞼をしっかり閉じるのだが、勝手にまたひらいた。夢うつつの状態で、耳は、おおぜいの口から発せられているらしいしゃべり声を捉えた。いくつかの声は断固たる調子で、熱心に討論していた。それはサバタイ・ツェヴィと世の終わりに関するいつもの果てしない論争で、絶え間なく彼の頭に浮かび続けている問題だった。不意に彼は飛び上がり、あまりに激しかったのでベンチベッドがいっしょに動いたほどだった。さまざまな声がやんだ。それらに代わって、ラビの家の雨戸を叩く音がした。彼は体を揺すって目を覚まし、身を起こして、恐れで身震いしながら尋ねた。

「だれだ?」

「私です、ラビ。申し訳ありません」

「だれかね?」

「グルナムです」

ラビ・ベニシュは悪い知らせだと直感し、皮膚がぴりぴりした。短い沈黙のあとで、彼は答えた。「ちょっと待ちなさい！」

ラビはベッドからごそごそと出て、室内履きを暗がりのなかで探し、部屋着を体に引き寄せた。それからドアへ向かった。混乱していたので、頭を戸柱の上部にひどくぶつけ、すぐさまひたいにこぶができた。手探りで、片手を震わせながら鎖を上げ、差し錠を抜いて、鍵穴で鍵を二回まわした。グルナムが冷気もろとも部屋に飛び込み、まるでだれかに追われてきたみたいな息づかいだった。

「ラビ」と彼はあえいだ、「ほんとに申し訳ありません！　おおぜいの男女がいっしょに集まっているんです！　レブ・エレアザル・ババドの家で、二階にです！　男たちが女たちと踊っています。神聖冒瀆です！」

ラビ・ベニシュは自分の耳が信じられなかった。事態はゴライでここまで進んでいたのか？　ただちに、そして無言で、彼は服を着始めた。暗闇のなかでズボンを見つけ、毛皮の外套を上にはおり、幅の広い帯まで見つかった。いく度か椅子が倒れた。ラビ・ベニシュはテーブルのへりにぶつかって、けがをした。足がいつになくもたもたした。小刻みな震えが背中をよぎり、背骨を冷たく突き刺した。何年ものあいだで初めてラビ・ベニシュは咳の発作を起こした。年老いたグルナムの目が猫の目のように光った。

「ラビ、申し訳ありません」と彼は再び言い始めた。

「来なさい」とラビ・ベニシュはほとんどどなるように言った。「早く！」よろめく膝で、ラビ・ベニシュは襟を引き上げた。外は暗いだろうと思ったが、日の出前のように明るかった。氷のような風がたちまち彼をとらえ、彼は息をのんだ。細い針となった雪か雨が――どちらなのかわからなかった――彼の顔を刺し始め、たちまち顔が腫れた。ひたいと瞼がこわばり、ふくれ上がった。ラビ・ベニシュはまるで町に見覚えがないかのごとくまわりを見まわして、滑って転ばぬようにグルナムの手を握りたいと思った。しかしだしぬけにざわめく大風が襲いかかり、彼を数歩うしろに押し戻し、背後から彼を押して坂を下らせ始めた。毛皮の帽子が頭からもぎ取られて、黒い鳥のように宙高く舞い、ねじれて地面に墜落し、まっすぐ井戸を目がけて猛烈に転がりだした。ラビ・ベニシュが両手でスカルキャップをしっかりつかむと、地面が足元で揺れ動いた。

「グルナム！」とラビ・ベニシュは別人のような声で叫んだ。

あとになって、ラビ・ベニシュは自分でも、すべてがどのように起きたのかわからなかった。グルナムがクロテンの帽子を走って追いかけ始め、急な斜面を駆けおり、それからあたかも帽子を体で押さえ込もうとするように倒れ、そして立ち上がってはまた倒れた。彼は小山を転げ落ち、不意にすっかり姿を消し、まるでさらわれたみたいだった。ラビ・ベニシュはおびえた視線を肩越しに投げ、悪がうろついていると悟って家に戻ろうとした。しかしその瞬間に両目は砂が入ったようにふさがった。スカルキャップが頭から落ち、コートのすそが波うって、彼をうしろへ引きずり始めた。頭がくらくらして、彼は息が詰まった。不意に嵐が彼をとらえ、高く空中に持ち上げて少しの距離を軽々と運び、それからあまりに荒っぽく投げ落としたので、この騒動のなかで彼には自分の骨の砕ける音が聞こえた。最後に残ったわずかばかりの意識で、彼はまだ考えることができた。「終わりだ」

このできごと全体は数秒のことだったに違いない。グルナムが毛皮の帽子を持って急いで駆けつけたが、もはやラビを見つけることができなかった。彼はラビが家に戻ったものと確信して、雨戸を叩き始め、呼びかけたが、答えはなかった。それで、良くないことがあったと感じて、グルナムは声をかぎりに叫び出した。

「助けて、ラビが！　助けてええ！」

最初に答えたのはラビの妻だった。それから義理の娘たちと孫たちが眠りから飛び起きた。なかば裸で外に駆け出して、彼らは怯えた叫び声をあげて町を起こした。最初はだれも何が起きたかわからなかった。恐怖のあまりグルナムはしゃべれなかった。代わりに、彼は聾唖のように身振りとまばたきをした。四方八方の戸がひらいた。町の住民の多くは略奪者どもが町を襲いにきたのだとおびえ、ほかの者たちは火事だと思った。たっぷり三十分も経ってからラビ・ベニシュがなかば雪に埋もれた状態で発見されたが、家から二十歩ほどのところにある栗の木の近くだった。ラビの妻は何が起こったかを見ると気を失い、女たちはみないっせいに嘆き始めた。しかしラビ・ベニシュは死んだのではなかった。男が数人がかりでうめいているラビを持ち上げ、書斎に運んだ。彼の顔は青く凍りついていて、右腕が折れたか脱臼していた。一方の目は閉じていて、まるで貼り合わせたようになっていた。湯気が雪に覆われたあごひげから立ちのぼり、体は熱病のように震えていた。人々が彼の耳に向かって大声で質問したが、彼は答えなかった。やっとのことで衣服を脱がせて、ベッドに寝かせた。ラビの唇は痛みで白くなり、オゼルの妻が酢で湿らせた。ほかのだれかがラビのこめかみをこすって、意識を回復させようと顔に息を吹きかけた。部屋を明るくするために、駆けつけていた者の一人が安息日の夜の儀式用に取ってある編んだ形のろうそくに火を灯した。ろうそくはくすぶった炎をあげて、揺らめいた。

何が起きたかはすぐに婚約の宴にいた者たちの知るところとなった。集まった者たちのほとんどはすぐさま逃げ去り、女たちはこっそり一人ずつ出ていった。ろうそくはすでに消えてしまっていた。二、三本の湿った松の枝だけが三脚の下の低いところでちらちらする光を広げていた。床は濡れ、ベンチやテーブルは押しやられて、ひっくり返り、天井は露がしたたって、ブランデーと黒焦げの燃えさしのにおいが火事のあとのようにあたりに漂っていた。レヘレはまだ正気づいておらず、ベッドに横たわり、じっとり濡れて、髪は乱れ、歯を食いしばっていた。〈信心者のチンケレ〉が意識を取り戻させようとして、レヘレのブラウスのボタンをはずし、服の留め金をはずして締めひもをほどき、口元からジュースをそそぎ込み、同時にやさしくつぶやいて、彼女に言い聞かせていた。レブ・イチェ・マテスは、顔を壁に向け、隅に立って、ぼそぼそ言っていた……。レブ・モルデカイ・ヨセフは、ジョッキ一杯の火酒をすでに半分飲んでしまっていて、イチェ・マテスのひじをこづいて帰らせようとし、きしるような声を出して、宿敵であるベニシュの失脚を喜んで勝ち誇った。

「さあ、レブ・イチェ・マテス。悪魔どもが今ややつを手に入れましたよ――やつの名が滅びますように！」

第14章 ラビが彼の会衆を見捨てる

書斎には、ラビ・ベニシュの天蓋付きのベッドが置いてあり、炉の火をとても高く燃え上がらせてあったので、漆喰がぴしぴし音を立て、暑さで焦げそうなほどだった。外側のドアは寒気（かんき）が入らぬように錠をおろしてあり、早朝から訪れ始めた訪問客たちは部屋をいくつか通り過ぎてからラビ・ベニシュの寝ている部屋に入るのだった。床は湿ってぬかるんでおり、病と薬のにおいがした。ゴライの市民たちは病室をうろうろし、心労でやつれ、あごひげを噛み、ひたいをこすって、どうすべきかを声高に論じ合った。よごれたスカーフを頭にかぶった女たちは沈んだ様子で身を寄せ合い、あちこちの隅でささやき交わし、エプロンで鼻をかみ、声に出してため息をついた。その部屋のテーブルでラビは半世紀を超えてトーラーの研究をしてきたのだったが、それは脇に除けられていた。書棚の扉はどれも大きくあけてあった。年代物の椅子のきゃしゃな脚はいつにない訪問客の重みでひびが入って割れ、何もかもが突然に不具合を起こしたように思えた。病人は掛け布団を二枚かぶってベッドに横になり、足元には彼のベルベットのコートが掛けてあった。打撲傷を負った広いひたいには汗が玉のように浮かび、目は閉じて、あごひげは亜麻のようにもつれ合っていた。彼の容姿全体が一変していた。

ラビの家は大混乱だった。ラビの妻は頭をくるみ、目を泣きはらして動きまわった。肩はいつもよりいっそう前かがみになり、毛の生えたあごが絶えず震えていた。しょっちゅう何かをつぶやいているようで、うろたえて、どこへ行くにも鍋を持って歩いた。ラビの娘——未亡人——とラビの年長の方の義理の娘は二、三時間ごとに学びの家へ走っていき、そのたびに神に祈願して、新しいろうそくを灯した。二人いっしょに、聖櫃（せいひつ）〔トーラーの巻き物を収めてある箱・収納設備〕に通じる階段を足早にのぼり、扉をあけて、清らかなトーラーの巻き物に懇願して、あまりにも哀れに泣くので、学びの家にいる若者たちがそれを聞いて涙した。一般の人々は詩篇を唱え、女たちは灯心で墓の寸法を測って、あとでそれを使ってろうそくを作り、死をラビから払いのけようとした。ラビの息子のレヴィはサバタイ・ツェヴィ一派に属していたが、その彼でさえ父との不和を忘れ、病室でほかの見舞客といっしょにいた。オゼルだけが、ラビの長男だが、そこにいなかった。彼は彼の流儀どおり台所にいて、火にかけてある鍋から食べ物をつまみ食いし、狼狽してあわてているせいで、噛まずに飲み込んだ。ときどきオゼルはすすけた顔で病室に駆け込み、人込みを押しのけて通り、途方に暮れてだれにともなく尋ねるのだった。「どうなってる？　良くなってないのか？」

試さなかった治療法があったろうか！　人々は悪い方の腕を熱い湯に浸してほぐそうとしたが、皮膚を黒くしただけだった。熱した塩を当ててみたが、ますます悪化した。救貧院の世話係の女は病人の看護に慣れていて、腕は脱臼しているだけだと主張し、元の関節にはめ戻そうとしたが、ラビ・ベニシュは痛さのあまり気を失った。孫たちは家から家へと走りまわって、助言を求め、おびただしい数の家庭療法を持って戻ってきた。蜂蜜ケーキを傷に当てる、犬の脂を塗りつける、臭いにおいの黄緑色の軟膏、辛子の膏薬。経験豊富な二人の女がひたいの上の方にスカーフを巻き、袖をたくし上げ、大きなエプロンをかけて、ベッド脇に立ち、沸騰した湯をたえず鍋からたらいにそそいで、病室を湯気でもうもうとさせた。彼女たちは水を篩（ふるい）にかけ、赤々と燃える石炭の火を熾（お）こし、〈過越しの祭〉の前夜に〈過越しの祭〉用の皿を浄めるときの女たちさながらだった。部屋は煙のにおいがただよい、焦げた石や、死者の浄めの儀式のにおいがした。だれかが病人に具合はどうかと尋ねるたびに、彼は片方の目の隅をあけて、問いかけた者をよそよそしい目つきで眺め、すぐにまたうとうととした状態に落ち込んでしまうのだった。

使いが二人、夜明けに近所の村に送られ、脱臼した腕や足をもとに戻す達人だと評判の農夫を呼びにいった。使いの者たちは金と携帯用の酒瓶に入れた火酒を持たされ、必要とあらばその農夫の耳をつかんで引きずってこいと命じられた。もう今ごろは戻っていなければならず、その村はほんの一マイルほどのところにあった。しかし彼らの姿はどこにも見当たらなかった。少年たちが戸外に走り出て、使いの者たちと農夫を見にいった。めいめいが違う答えを持って帰ってきた。どこか遠い丘の上に点が一つ見えたけれども、それが使いの者たちなのか、薪を運んでいる橇なのかはっきりしなかった。レブ・エレアザルとレイブ・バナフが失踪して以来、だれもがびくびくして暮らしていた。もうすでに使いの者たちの妻は上気した顔でラビの妻の台所に坐り、絶叫して泣き出す心づもりでいた。たっぷりバターを塗ったパンを食べながら、彼女たちは未亡人のようにため息をついた。外は猛烈な寒さだったけれども、三々五々集まった女たちが市の立つ広場のあちこちに立って、ショールにくるまって背を丸め、身を寄せ合い、葬式を待っているかのように不安げにしていた。足を男物の大きなブーツに突っ込んで、たえず踊るように動かし続けていた。彼女たちの顔は年齢よりも老けていて、凍りつく寒気と新たな恐怖で蒼ざめていたが、その新たな恐怖の影がゆっくりと町の上で色を深めつつあった。彼女たちはみな同じ文句を繰り返した。

「『あっちの者たち』のしわざだわ、悪鬼よ」

「彼らのせいだわ」

彼女たちは、ラビの義理の娘のネヘレがラビ・ベニシュに魔法をかけたのだとうわさした。

一人の女はネヘレが年寄りの魔女クンネグンデとひそかに談笑しているのを自分の目で見たと言った。女たちはみなはっきり知っていたが、ネヘレは妖精が作った魔法のもつれ髪を自分の部屋のタンスにしまっているし、夫のレヴィを繋ぎとめておくために、自分の乳房を洗った水を夫に飲ませているのだった。シナゴーグの信徒役員の妻*グルケが誓って言うには、彼女はひと晩中眠ることができず、風のなかで女たちがやかましくおしゃべりをしているのが聞こえ、霊たちが集まっていると思ったのだった。そのあとで、ラビ・ベニシュがけがをしたちょうどそのとき、霊たちがみんなわっと笑い出して、あざけったり手を叩いたりしたのよ——だって彼らは人間に意趣返しをして、痛い目にあわせたんだもの。

＊　英語訳では「信徒役員」となっているが、ここは明らかに女性たちの集まりであり、イディッシュ版に従って「信徒役員の妻」とした。

日暮れになって、治療師の農夫がようやく到着した。使いの者たちの報告によると、その農夫は何があろうと絶対に行かないぞと拒否し、そこで彼をぐでんぐでんに酔わせて道中ずっと引きずってこなければならなかったのだった。彼はちびの老人で、麦わらの靴を履き、表が毛織の羊皮のコートを着ていた。巻き毛の白髪頭に、途方もなく大きな帽子をさも偉そうにうしろへずらしてかぶっていた。小さな目は赤く、常に笑っていた。彼はラビ・ベニシュが寝ている部屋に案内された。ドアは彼に敬意を表して大きくひらかれ、まるで偉大なる名医といったあんばいだった。老人はうれしそうに両手をこすりあわせ、ばか笑いをして、跳ねまわり始めた。歯のない口で何かばかばかしい、ふざけたことをぺちゃくちゃしゃべった。

「もう一杯ほしいのですよ」と使いの者の一人がラビの妻に打ち明けた。

人々は農夫に半杯ついでやった。彼はぱさぱさのチーズをひとかけポケットから取り出し、それをかじると、うれし涙が彼の頬をつたい落ちた。それから彼は病人のベッドに近づいて、腕前を見せようとした。彼はラビ・ベニシュをながめて、まるでラビが具合の悪いふりをしているだけであるかのような顔つきをした。農夫がラビの悪い方の腕をつかんだとたん、ラビ・ベニシュは悲鳴を上げて、体を振りほどこうとするかのようにベッドで身をよじった。農夫があまり乱暴に引っ張ったので、骨の折れる音が聞こえた。彼の酔った顔は力を振るったことと急に腹が立ったことで、青くなった。ラビ・ベニシュはのどが詰まり、気を失った――人々がどうにかこうにか息を吹き返させた。農夫は猛烈に怒りだして、器をつかむと地面に叩きつけた。

「人の姿をした悪魔どもめ！」と彼は絶叫し、両のこぶしを振りまわした。今にも病人に飛びかかりそうに見えた。

やっとのことで人々は農夫を病室から連れ出し、村に戻るように説得した。ひょっとするとどこかの畑で倒れて凍え死ぬかもしれないと心配になり、それほど酔っていたので――そしてそうなったら農夫たちはユダヤ人が彼を殺したといって責め、村を襲撃するかもしれないと恐れて、みなは彼を家まで送る役目を引き受ける男を見つけた。

そうこうするうちに、日が暮れて、それとともに年寄りたちも覚えがないほど厳しい寒気がやって来た。井戸の水が凍り、手桶が割れた。氷の山がまさに井戸のへりのところまで盛り上がり、近寄るのは危険で、それというのも一歩間違えばへりを簡単に乗り越えてしまうからだった。かまどはどの家でも熱くしていたけれども、小児用寝台にいる幼い子供たちは寒くて泣いた。こういう夜にはつきものだが、数知れぬ事故や不吉な災いがあった。赤ん坊が不意にむせ始めて、息ができなくなり、青くなった。ブランデーと胡椒を腹につけると、いっそう悪化した。娘たちが男物の上着を着て、ショールを二枚重ねにして体を包み、邪視をまじないで逸らしてくれる女たちを捜しに出かけた。多くの家でストーブが突然ひどくくすぶり始め、人々は窒息するのを避けるため、火に水をかけねばならなかった。一軒の家では煙突で煤が燃えだしたので、急いで梯子を捜し、曲がったつるつるの屋根にだれかが這いのぼって、濡れた粗布の大袋とぼろ布を煙突の下まで押し込まねばならなかった。みなが咳をし始めた。ほかには、腕や足が凍傷になった患者も出た。

ラビ・ベニシュの部屋では集まっていた人々の数がしだいに減って、とうとうみんな立ち去った。部屋は客がいなくなったばかりの宿屋のようだった。農夫が腕をもとの関節に押し戻そうとしてからというもの、ラビの苦しみは刻一刻とひどくなっていった。悪い方の腕の肉は腫れて、ふくれ、腫れあがった不気味ななめらかさを帯びた。熱を持って湯気を出していた。夜遅くになって、ラビ・ベニシュは苦しさのあまり意識混濁におちいった。彼は妻に金貨百五十枚をそっくり彼に支払うように要求し、舅が約束したのだと言った。それから突然、死んだ義理の息子が夕食を食べたかどうかを知りたがった。これは悪い予兆と見なされて、家族はわっとばかりに泣き出した。ラビ・ベニシュは片目をあけて、つかのま我に返り、言った。

「ルブリンへ連れていってくれ。後生だ！ ゴライの墓地に横たわりたくない」

翌朝早く、馬を二頭つないだ橇がラビの家の前にあった。ラビ・ベニシュは服を着て、数枚の掛け布団とたくさんの麦わらの束が上に掛けられた。グルナムとラビの妻がつき添った。彼の敵たちまでもが集まって、橇のあとに従い、橋まで送った。女たちは泣き、手を振り絞って、葬式のときのようだった。一人の女は馬たちの前に身を投げだし、しわがれた金切り声を上げた。

「ラビさま、どうしてお見捨てになるんですか？ ラビ！ 聖なるラビさまあ！」

第二部

第1章　結婚式

レブ・イチェ・マテスの結婚式の日。三日のあいだ、絶え間ない一連の禁欲の苦行に没頭して、彼はひと匙の白湯(さゆ)すら口に入れなかった。夜には、服を脱ぐこともせず、眠らぬように冷水を張ったバケツに両足を入れて坐り、ひっきりなしにぶつぶつ言っていた。何日も立て続けにどこか丘のなかをさまよい、膝まで雪に埋もれて、まるで白く輝く野原でだれかを探し求めているかのようだった。冷水浴で声がかすれた。目は陰鬱で、盲人の目のように光が消えた。結婚式の日に、彼はレブ・ゴデル・ハシドの家の自分の小部屋のベンチで横になり、そのまわりを信奉者たちが取り囲んで、彼らは彼のひと言ひと言に聞き入った。レブ・イチェ・マテスが言うことはなんでも書き留める一人の若いカバラー主義者すらいた。――女たちはレヘレに専念した。

結婚式前の安息日に、イチェ・マテスは花婿になる者として聖書朗読台に呼ばれてトーラーの巻き物から読み上げをおこなったが、それ以降、レヘレはもう逆らう様子を見せなかった。彼女はおとなしく年上の女たちの指示に耳を傾けた。すでに妻の純潔に関する掟は熟知していたし、貞潔と慎みを扱う女性向けの本はすべて通読していた。彼女の青白い頬には赤い点が二つとどまって、消えようとしなかった。〈信心者のチンケレ〉は毎日何時間も続けてレヘレに品行について教え、彼女の頭をなで、冷たい唇で口づけをして、あたかもレヘレが自分の娘であるかのようだった。前夜に、レヘレは初めて沐浴場に連れていかれた。未婚の娘が初めて行くときにはいつものことだが、楽団員が彼女のあとに続き、陽気な踊りの曲を演奏した。おおぜいの女たちがレヘレにつき添って、彼女のまわりに輪を作り、彼女が途中で犬や豚に遭遇して穢れを受けることのないよう取り囲んだ。町の下品な少年たちはみだらな言葉やわいせつなことを彼女のうしろから大声で叫んだ。沐浴場では〈世話人のイェテ〉がレヘレをあずかり、服を脱がせ、彼女の腰や乳房を触って不妊の兆候があるかどうか確認をした。とても注意深くイェテはレヘレの手足の指の爪を切って、レヘレが身を浸すときに水が触れないところのないようにし、レヘレの長い髪を木の櫛で梳いて、体の人目に触れないところをよく調べ、腫れ物や角質化した箇所がないかを確かめた。女たちは髪を剃ってあったり、不揃いに刈り込んだりしてあって、長年沐浴に来ており、気楽にぶらついて、完全にくつろいでいた。丸裸で、乳房はパン生地の塊みたいにぶら下がり、堂々たる臀部と、妊娠と出産を繰り返してたるんだ腹をしていた。よたよた歩きまわって、彼女たちは慣れた様子で石の床の水たまりで足をばしゃばしゃさせ、どぎまぎしているレヘレをまめに気遣ってやった。彼女に助言して、どうやって夫の欲望を掻き立てるかを伝授し、男の子を授かるにはどんな幸運のお守りを使えばいいか教えた。非常に若い女たちは、小さい羊みたいな頭で、考えの足りない子どものように沐浴場で遊び、レヘレの刈り込んでいない髪にびっくりしてさわったり、互いに追いかけ合ったりして、だいたいが浮ついていた。沐浴場の片隅では、治療師が瀉血をおこない、ヒルをつけたり吸い玉を固定したりしていた。床は屠畜場のように血まみれだった。ある初老の女は品のない口調でレヘレに話しかけ、顔に血がのぼるようなことを耳打ちしたので、彼女は恥ずかしさのあまり倒れそうになった。

　結婚式の日だった。レヘレは椅子に坐り、足を足載せ台に置いて、本〔宗教書〕を読んだ。その日は断食をしていて、午後には〈贖罪の日〉の告白の祈りを朗誦することになっていたが、それは結婚式の日には、結婚する者のあらゆる罪が〈贖罪の日〉と同じく許されるからだった。彼女の薄い唇は白かった。目は遠くを見つめていた。顔は鉛色で、長わずらいのあとのようにやつれていた。家では料理人が二人せわしなく白いパンと蜂蜜ケーキを焼き、クッキーの生地を切り分け、羽の刷毛（はけ）を油と卵白に浸け、蜂蜜をそそぎ、アーモンドをすりこぎでつぶしていた。魚と肉は近くの町から手に入れてあった。大きな鍋が湯気を立て、女たちがたえず灰汁（あく）を木の柄杓（ひしゃく）で取り除き、スープの味見をして、おいしいかどうかを確かめた。

長い白いパンを焼き、二股にした先細りの端を編んだ。このパンを手にして彼女たちは、儀式を終えた花嫁と花婿を踊って出迎えることになるのだった。パンは梯子、鳥、輪といった、さまざまな幸運のしるしで飾られていた。お針子たちはベッドに腰かけて白いサテンの花嫁衣装と下着に最後の仕上げをしていた。針がきらめいて、刺し傷だらけの指のあいだを行きかった。視線を落とし、目を仕事に向けていたが、品のいい口もとはたえずほほえんでいて、彼女たちのうちで一番年長の未亡人がひっきりなしにするうわさ話に顔をしかめた。歯の形をした赤いふち取りのある長いシーツや、刺繍された枕カバー、レースをあしらった下着がいたるところにあった。新しいリネンは女たちの手のなかでぱりぱりと音を立て、目にまばゆく、窓の外の雪のようだった。家はシナモンやレーズン、断食の終わりを告げる祝宴の準備のにおいがした。

夕刻になると、娘たちがレヘレの家に集まり始めた。床には黄色い砂が撒かれ、獣脂のろうそくが二、三本灯っていた。治療師と彼の息子がバイオリンをかき鳴らし、一曲ごとに小額紙幣を受け取った。レヘレは花嫁の椅子に坐り、白いサテンのドレスと借り物の宝石を身に着けていた。首には太い金鎖をかけていた。穴をあけた耳たぶには長いイヤリングを二つ下げていたが、年代物で黒く、その宝石は曇っていた。まだ子供と言ってもいい少女が二人、レヘレの両側に坐っていた。彼女たちが花嫁付添人になることになっていて、彼女のそばにとどまって、彼女を守るのが務めだった。結婚式の道化〔戯れ歌を披露したりして結婚式をにぎやかにすることを仕事とする者〉を見つけることがゴライではできなかったので、この役割をドゥーディエが引き受けたが、彼は貧しい靴職人で、片方の目が見えなかった。おびえて蒼ざめ、戸口に立って、しわがれ声で一本調子にイディッシュの文句を朗唱し、態度が非常にまぎらわしいため、みなを楽しませようとしているのか悲しませようとしているのか区別がつかなかった。彼の良い方の目はじっとしていた。腫れ物のある方の目はたえず慌ただしく瞬きしていた。ドゥーディエは女たちが泣いているものまねをした。黒ずんだ両手で顔をおおって、ヤギのような鳴き声を出した。娘たちは互いにひじでつつき合って、くすくす笑った。彼女たちは最初に〈乱心の踊り〉を披露し、それから〈鋏の踊り〉を踊って、〈水の踊り〉のときには、水たまりを渡るかのようにドレスを持ち上げた。他人同士みたいに目をそらしていた。しばらくしてから彼女たちは自分たちの分である蜂蜜ケーキを受け取ることを承諾した。目の前に置いてあるジャムのイチゴは一つだけ味わった。道化が冗談を言わなかったので、娘たちが数人、彼を非難した。楽師とふざける娘たちもいたが、彼は女が着るような上着を着て、耳覆いのついたフラシ天の帽子をかぶり、野卑なおしゃべりを小声でずっと言っていた。娘たちが彼をとがめて、こっそり彼に向かって指を振り、笑い転げた。

「ごろつき!」と彼女たちは叫んで、互いの腕のなかに身を投げかけた。

レヘレはハンカチで目を覆って、父親のレブ・エレアザル・ババドを思い出し、父は路上で殺されて、ユダヤ人墓地に葬られてさえいないのだと思った。深い後悔の念にかられた。

ヴロダヴェにある母親の墓を訪ねることもできないでいたし、しかるべく母親を結婚式に招くこともできなかった。不意に女たちが群がり集まった。男たちが近づいてきて、花婿を伴っており、花婿は花嫁の頭をベールで覆うために来たのだった。すでに階段まで来ている音がして、娘たちは彼らに備えてドアに鍵を掛けようとした。しかしドアは無理やり押しあけられ、男たちが入り込み、酔っぱらって意気盛んだった。すぐに家は彼らでいっぱいになった。女たちを脇に押しのけ、レブ・イチェ・マテスの仲間たちは彼が彼女らのあいだを通らずにすむように通り道を作って、偉そうに叫んだ。「女たち、片側へ！　我々を通すんだ！娘たち――家へ帰れ！」

結婚式での習わしとして、浮ついていても大目に見られるので、二、三人の若い女が金切り声を上げた。レブ・イチェ・マテスが入ってきたが、借り物の毛皮のコートは床にすそを引きずり、クロテンの帽子は目の上にかぶさっていた。花嫁の頭を覆う前に、彼は延々と祈りを朗唱した。レヘレは一度だけ声に出して泣いた。イチェ・マテスが彼女の頭を覆うと、干しぶどうとアーモンドが雨あられと彼女に降りかかり、女たちはみなすすり泣いて鼻をかんだ。道化はつま先立ちで戸口に立って、小柄であっても人目につくようにして、物悲しい調子で詠唱した。

「強盗どもは我らを屠り、苦しめた。

幼い子供たちを殺し、女たちに乱暴した。
フメリニツキーは腹を裂き、なかに猫を縫い込んだ、(我らの罪ゆえに!)。
それゆえ我らはこのように声高に泣き叫び、嘆願します、
復讐を、おお主よ、虐殺されし汝の聖者たちの血のために!」

女が一人突然に気を失い、みなが彼女に水をかけた。ある少年は人込みのなかで息が詰まり、おびえて悲鳴を上げた。だれかが水の大桶につまずいた。器が一つ割れた。そしてそれから花婿が付き添われて婚礼の天蓋へと向かい、それは祈りの家と古い墓地のあいだに立っていた。祈りの家の中庭を小さな塚が埋め尽くしていて、一六四八年に殉教した児童の墓のしるしとなっていたが、その子たちは信仰を変えたり奴隷として売られるよりは強盗やタタール人の手で殺されることを選んだのだった。花婿は、死ぬ日を思い起こすため、死装束に似た白い衣を着て、儀式用の白い被り物を頭に着けた。ひたいの一か所、いつも聖句箱をつけるところには灰を振りかけた。天蓋の下で背を丸めて、レブ・イチェ・マテスはハンカチで目を隠した。四人の男が天蓋の柱を支えていて、凍えないように足をもぞもぞ動かし、手に息を吹きかけた。悪ふざけで、わんぱく小僧が祖母の編み針を花婿の尻に突き立てた。花婿は身じろぎもせず、少年の両腕はだらりと脇に垂れた。長いあいだ、みなじっとしていた。花古い墓石がところどころ、墓地を取り囲むがたがたになった柵の上にぼんやりと見えていた。

それらは密集して列をなし、重なり合って並び立っていた。すると突然、上下に飛び跳ねる編んだろうそくの赤い炎がいくつも近づいてきて、何もかもが陽気になった。治療師と彼の息子が演奏する婚礼の天蓋の行進曲に合わせて、花嫁が導かれてきた。白い服を着た娘たちがろうそくを持ち、二列になって、そこをレヘレが通った。すっかりベールに覆われて、彼女はいつもよりもっと顕著に足を引きずっていた。花嫁につき添う娘たちはほとんど彼女を引きずるようにしなければならなかった。レヴィはラビ・ベニシュの下の息子で、サバタイ・ツェヴィ一派に属していたが、彼がこの神聖な儀式の司式をした。蒼ざめて、オゼルではなく自分が父の代わりを務めることで罰を受けるのではないかと恐れて、片手に持った細身のグラスが震え、ぶどう酒が指にこぼれたが、彼は涙を誘う調子で詠唱した。

「幸いなるかな汝、おお主よ、汝の掟により我らを聖別されしお方……天蓋と聖別の儀式によりて我らとの結びつきを許したもうたお方……幸いなるかな汝、おお主よ、人を作りしお方」

第2章　祝禱の七日間

人々が花嫁花婿を婚礼のベッドに導いてから三晩目となり、レヘレは相変わらず娘のままだった。毎朝早く、レブ・イチェ・マテスが学びの家に出かけたあとで、花嫁を花婿に引き渡した二人の女がやって来て、ほかにも数人の興味津々の主婦たちといっしょに、レへレと夫がこれまでに夫婦となったかどうかを確かめにきた。恥ずかしくて、レへレは長枕の下に隠れたが、彼女たちはそんなことにはおかまいなしで、なぜってこの子は孤児で、かまってやる母親がいないんだから、というわけだった。そしてそういうわけで、彼女たちは服を脱がせて彼女のスリップと寝具を丹念に調べ、顔を紅潮させながら信心深く自分たちの仕事に取りくむのだった。毎日、彼女たちは同じ質問をした。「それで、あんたたち、いっしょにいたの？　彼はあんたと寝た？」

カラスたちはもうすでにその知らせを屋根からふれまわっていて、ゴライのふまじめな連中をおもしろがらせていた。レブ・イチェ・マテスについて言えば、彼は学びの家の炉の裏で祈るようになり、顔を祈禱用ショールで隠して、ごろつき連中や奉公人たちのしかめ面で祈禱を乱されないようにした。サバタイ・ツェヴィの信奉者たちは何か手を打たねばならないとわかって、レブ・ゴデル・ハシドがわざわざ自宅にイチェ・マテスを連れ帰り、焼いたニンニクと塩気のないエンドウ豆といった、男性に精力をつけるだろう食べ物を食べさせた。レへレも教わって、ネへレが彼女に夫の性欲を掻き立てる方法を説明した。そして七晩のあいだ、習わし通りに、花嫁と花婿は婚姻の部屋に導かれ、みなは成就するのを期待して待った。この〈七つの祝禱〉の期間中、一派に属する者たちは全員が夕食に集まった。レへレは相変わらず白い婚礼の天蓋のドレス〔ウェディングドレス〕と宝石を身に着けていて、彼女はまだ花嫁なのだった。彼女がおどおどしながら椅子に坐っている一方で、靴職人はみんなの気を引き立てようとみだらなことを口にした。レブ・イチェ・マテスはサテンのコートを着ていた。彼のひたいは紅潮し、絶えずハンカチで顔の汗をぬぐった。目の前の料理にはほとんど手をつけず、何を食べてもいやいやながら飲み込んだ。食べ物はのどにくっつくように思えた。夫婦関係の話題が出ると、彼はよく頭を横に振って、どんよりとした目で恐ろしそうにまばたきした。

「そう……そう……もちろん」、と彼は口ごもるのだった。

午後には若者たちが派遣されてレブ・イチェ・マテスを訪ねるのだが、彼らはまだ妻の実家に住まわせてもらっている婿たちで、その役目は彼の気を引いて憂鬱に落ち込ませないようにすることだった。彼らは互いに謎をかけ合い、〈ヤギとオオカミ〉やチェス、サイコロゲームまでやった。いく人かは、繊細な渦巻き形の飾り文字の字体で書いてみせ、学識をひけらかした。柔らかなパンをこねてありとあらゆる鳥や獣を作ってみせる者たちもいた。歌を歌える者は歌ったし、頭のいい連中はピルプルの新しい展開を考えついた。数人の若者は世界情勢を勉強していて、ヨセフス〔一世紀のユダヤの歴史家・軍人〕で読んだことのある古代の戦争について意見を交わし、また、金持ちの領主や騎士たちの驚くべき行動や、ポーランド貴族のヴィシュニエヴィツキの並外れたふるまいについても話し合ったが、ヴィシュニエヴィツキはユダヤ人の友で、強盗どもを木の杭で串刺しにしたのだった。彼らはルブリンの大きな定期市について楽しく論じ合って、そこでは、きわめて珍しい書物や原稿、非常に高価な金銀の品物を買うことができるし、ポーランドやリトアニア、ドイツ、ボヘミアのもっとも裕福な人々がそこで娘の夫を捜すという話をした。若者たちの一人は自分のバイオリンまで持参してきて、彼にワラキア〔ヨーロッパ南東部の旧公国で、モルドバ公国とともに現在のルーマニアの基となった〕の旋律を演奏して聞かせた。彼らに囲まれてレブ・イチェ・マテスは坐り、ほとほと疲れ、性に合わず、彼らの頭上に斜めの視線を向けていた。ときおり彼はあごひげを一本引き抜いて、目の近くにかかげ、長いあいだじっと見つめ、最後にそれを用心深く〈ゾーハル〉のページのあいだに置くのだった。やがて頭が胸の上に垂れ、彼は居眠りをした。両腕がだらりとぶら下がり、鼻は青白く、生気なく見えた。訪問客たちは立ち上がって、背後でくすくす笑った。夜には、一派の主立った指導者たちがやって来てレブ・イチェ・マテスを寝床に送っていくのだが、そのときに彼らは彼を脇に引っ張って、ささやき声で話し合い、いさめた。

「どうしてこんなことになるのかね、レブ・イチェ・マテス？　生めよ、増えよ、は根本中の根本だよ！」

新婚の床はレブ・エレアザルのなかば廃墟となったレンガ造りの家の一室にあった。服を脱ぐ前にレブ・イチェ・マテスは〈篤信者ラビ・ユダ〉の祈りを一時間が過ぎても読み上げた。次に、やせたこぶしで胸を叩き、涙を流して、告白をした。それから果てしなくベンチのまわりをまわった。レヘレはベッドで横になって彼を待ち、優しい言葉と愛をもって彼を迎えようと思い、女たちに教えてもらったとおりにするつもりでいた。外では犬たちが悲しげに遠吠えをし、静かになり、それからまた吠え始め、まるで自分たちに加えられた何か大きな悪事を嘆いているかのようだった。レヘレは〈死の天使〉が外にいることに気がついた。風が雨戸につかみかかり、氷のように冷たく部屋を通り抜け、ろうそくがちらついて消え、部屋が暗くなって煙った。レブ・イチェ・マテスは詠唱を続けながら隅から隅へと足をひきずって歩き、まるで何かを捜しているかのようだった。レヘレには、部屋のなかでレブ・イチェ・マテスの傍らにだれかがいる気がして、それは何か実体のない、ぞっとするもののように思えた。髪の毛の根元が恐怖でちくちくし、彼女は布団を体の上に引き寄せた。とうとう、無言で、レブ・イチェ・マテスが彼女のとなりに横になった。彼の体は沐浴場の水と死骸のにおいがした。彼は凍えた両手を彼女の乳房のあいだで温め、固い毛で彼女をちくちくさせて、それでもまだ彼の歯はかたかた鳴り続け、体が震えるので、ベッドがいっしょに揺れた。レブ・イチェ・マテスの膝は骨ばっていて尖り、なかが空洞のように思えた。肋骨は突き出ていて、樽板みたいだった。だしぬけに彼はしゃべり、低く、しわがれて、子供っぽい謎めいた声で言った。

「何か見えるか、レヘレ？」

「いいえ！　イチェ・マテス、何が見えるの？」

「リリスだよ！」とレブ・イチェ・マテスは叫び、レヘレには彼がその幻を喜んでいるように思えた。「彼女を見てみろ。おまえの髪みたいに長い髪をしている。裸で。好色で」

彼は奇妙で中途半端な文をとりとめもなく口にし続け、謎めいていて理解できないことを言い、まるで嘲笑しているかのようだった。いきなり彼はいびきをかき始め、長く、甲高い、ひゅうひゅうという音がした。

「イチェ・マテス！」とレヘレは呼びかけ、その声はくぐもってはいたが、脅す調子があった。

「えっ……？」

「寝てるの？」

「あー……」

「どうしてそんなに大きないびきをかくの？」とレヘレが尋ねた。

イチェ・マテスは耳を澄まし、それでもいびきは続き、とはいえ彼は起きているのだった。

レヘレはぞっとした。

「イチェ・マテス！」と彼女は叫んで、彼に背を向けた。「私は病気なの。怖がらせるのはやめて！」

彼は一晩中眠れなかった。ベッドを離れ、両手を洗い始め、床に水をはね散らし、そうしながらぶつぶつと祈りをつぶやき鼻歌を歌っていた。夜明けごろ、彼は窓辺に立ち、雨戸のすき間を覗いて光の前兆に目を凝らした。最初のほのかな青色が見えると、服を着て、家を出た。そのときになってようやくレヘレは眠った。夢にうなされ、父親が野原に横たわっているのを見たが、眼窩はからっぽで、ハゲタカの群れがとり囲んでいた。〈レブ・ゼイデル・ベルおじさん〉もレヘレのところに来た。彼は血まみれの死装束を着て、肉屋の長いナイフを宙で振りまわし、怒ったようにどなった。「おまえに残された日数はさほどない！くだれ、レヘレ、暗い墓にくだれ！」

彼女は朝、人が変わったようになって目を覚まし、まるで不思議な病気にかかったかのようだった。レヘレにはその夜がいつもの夜よりも長かったように思えた。どんな夢を見たのか、何を経験したのか、どうしても思い出せなかった。頭が重かった。髪が痛く、引っ張られでもしたみたいだった。目の下には青い輪ができていて、体はまるでつねられたかのように青黒くなっていた。ぎこちなくかまどまで歩き、火打ち石をこすり合わせて、ようやく灯心に火をつけた。それから鍋を三脚に掛けたけれども、あまりに忘れっぽく、食べ物を焦がした。レブ・イチェ・マテスが正午に学びの家から戻ってきたが、腰をスカーフで締め、大きな祈禱用の袋を持っているので背をかがめていた。こね鉢からぱさぱさのパンをいくらか選び取って、彼は両手を洗い、カフタンのすそで拭いた。最初に彼は小さなパン切れを塩にくぐらせ、それから塩をいくらか振り落として、再びパンをくぐらせた——三回こうやった。

その後、ニンニクをひとかけパンの表面に擦り込んだ。食事のあと、彼はひたいをテーブルのかどにもたせかけて、十五分うたた寝をした。ときおり肩がぴくっと動くのだった。不意に彼は眠りを振り払った。ひたいには赤い跡があり、目は当惑した様子で凝視していた。レヘレが話しかけたが、彼は彼女がいることに気づいていないらしく、反応がなかった。やがて彼は立ち上がり、戸口の側柱のしるし〔メズーザー〕に三度口づけをして再び出て行った――そして夕暮れになるのだった……

〈結婚の祝禱の七日間〉の七日目が過ぎたとき、レヘレはまだ処女のままだった。若い女たちは店でその話をして、レヘレを憐れみ、彼女は「ナイフを使わずに首をはねられた」のだと言った。みなは、魔術のせいで花嫁と花婿は結婚を成就できないのだと信じた。レヘレのショールの房飾りに結び目がないかが調べられ、ドレスの襞に魔法の証拠が隠されていないか精査された。ほうきはすべて彼女の家から取り出されて燃やされた。婚礼の寝具は煙でいぶされ、魔除けが隅々に掛けられて、悪霊どもを追い払う試みがなされた。レブ・イチェ・マテスは一人別個に沐浴場に連れていかれて、男性らしさがあるかどうか男たちの検査を受けた……

　そして居酒屋にたむろして掟や命令をもの笑いの種にしているぐうたら連中は、レブ・イチェ・マテスのあだ名を見つけていた。彼らは彼を去勢馬と呼んだ。

第3章　**レブ・ゲダリヤ**

〈プリムの祭〉（ユダヤ暦のアダルの月（西暦の二月〜三月）の十四日におこなわれ、「エステル記」にちなみ、ユダヤ人が虐殺を免れたことを祝う祭）のしばらく前に、ゴライに使節が到着して、とまどうようなものであったにせよ、驚くべき知らせを持ってきた。

サバタイ・ツェヴィは――と彼は述べた――すでに、神のおかげをもって、メシアであることが明かされており、スタンブールへ向かって出発したが、〈イスラエルの地〉を治めるスルタンの王冠を要求するためである。サバタイ・ツェヴィの征服は軍勢の力によるものではなく、サムバチオン川の向こう側の首長たちや預言者たちの力によるものであり、彼らは象や豹、水牛の背に乗って彼につき従った。サバタイ・ツェヴィ自身は〈彼の名に誉れあれ！〉彼らの前を野の獅子に乗り、紫と金の糸、そして闇のなかでも光を放つ無数の宝石に飾られた衣に身を包んでいる。腰には真珠の帯を締めている。右手に笏を握り、彼はエデンの園のようにかぐわしい。海は彼の前で左右に分かれ、ちょうど古(いにしえ)の時代に〈我らの師モーセ〉（彼に平安あれ！）のために分かれたごとくであり、彼は大海のただなかで乾いた地の上を歩み、彼と、そして彼とともにいる者たちはそうやって進んだ。火の柱が彼の前を進んで道を照らし、天使たちが彼のあとを飛び、彼を讃える讃歌を歌っている。最初のうち地の王たち、諸侯たちは抜身の剣を持つ巨人の軍勢を派遣してサバタイ・ツェヴィに立ち向かわせ、彼を虜にしようとした。だがゴグとマゴグ〔二四頁註参照〕の日について約束されていたように大きな石が奔流となって天から降りそそぎ、巨人たちはすべて滅びた。世界は仰天している。ユダヤの人々は今や高い名声を得ている。諸侯や王たちが彼らに敬意を表しに来て、彼らの前にひれ伏している。地と天はサバタイ・ツェヴィがスタンブールに到着する日を祝うことだろう。あらゆるユダヤ人が必ずや〈七週の祭〉〔モーセがシナイ山で律法を授かったことを記念する祭で、ユダヤ暦のシヴァンの月（西暦の五月〜六月）の六日に祝う〕を〈イスラエルの地〉で祝うことになろう。神殿は再建され、〈律法の板〉〔モーセの十戒が最初に刻まれた二枚の板〕が聖櫃に戻され、大祭司が至聖所に入ることだろう。救い主のサバタイ・ツェヴィが世の隅々まで治めるであろう……

　この知らせをもたらした者は無学の庶民でもなければどこにでもいる旅人でもなく、レブ・ゲダリヤであり、ザモシチの儀式屠畜人で、大いに尊敬され、地位のある人物だった。レブ・ゲダリヤは背が高く、立派な体格で、腹は大きく、首には段ができていた。彼のコートはビーバーの皮でできており、表地は絹で、かぶっている帽子はクロテンだった。黒くて幅のある、扇型のあごひげが腰まで伸び、髪は巻き毛で肩にかかっていた。レブ・ゲダリヤの名はサバタイ・ツェヴィ一派にはよく知られており、カバラー主義者として有名だった。サバタイ・ツェヴィを信じたために、彼は生まれ故郷の町から出ていかざるをえなくなったのだった。レブ・ゲダリヤがゴライに来たのは信者の奮起を再び促すためだった——たぶん屠畜人の職を引き継ぐためでもあって、その職はゴライでは一六四八年以来空席となっていた。牛や鶏が近くの村で安く買えるし、ゴライの人々はみな肉がほしくてたまらなかった。レヴィが今では亡き父親の代わりにラビの座についていて、レブ・ゲダリヤをうやうやしく学びの家に案内し、東の壁に彼を坐らせ、一派の者たちを招集して祝宴をもうけ、この有名な人物に敬意を表した。居酒屋のあるじは同志の一人で、酸いぶどう酒の大樽を持参したが、それは彼の地下室に五十年を超えて寝かせてあったもので、ネヘレはクッキーとバターナッツ、果物の砂糖煮を並べた。客たちは新たなメシアの讃歌を歌ったが、その讃歌はメシアみずからが天国で聞いたものだった。レブ・ゲダリヤは器用な手つきで背の高い銀の大杯に自分でぶどう酒をそそぎ、大きくて毛深い両手を刺繡のほどこされた帯のなかに突っ込んで、たくさんの心躍るできごとを次々と語った。

大ゲルマン海〔北海〕で、ユダヤ人とキリスト教徒が等しくある船を目撃したが、その船の帆と索具は白い絹でできていた。船員たちは聖なる言語でしゃべり、船の旗には「イスラエルの十二支族」という語が記されていた。イズミル〔トルコ西部の港湾都市〕では三日連続して、天からの声がこう叫んだ。「我がメシア、サバタイ・ツェヴィに触れるな！」〈テベットの十日の断食〉〔テベットの月（西暦の十二月～一月）の十日にある断食日〕は祭日に変えられ、喜びの日となった。メシアの証が届いたところではどこでも、男たちは肉を食べ、ぶどう酒を飲み、雄羊の角笛を吹いた。ハンブルク、アムステルダム、プラハの大きな共同体では、あらゆるユダヤ人が——男も女も等しく——通りで踊り、王冠と宝石で飾られたトーラーの巻き物を掲げている。楽団員は演奏し、太鼓を叩き、鐘を鳴らして、白い天蓋を先頭に掲げて進む。安息日には祭司たちが、まだ神殿が立っていた古(いにしえ)の日々のように会衆を祝福し、日に三度、先唱者が、「主よ、王はあなたの力によって喜び」で始まる詩篇〔「詩篇」第二十一篇一節〕で会衆を先導している。あらゆる土地で、新たな預言者が現れつつある。一般の男たちは——娘たちやキリスト教徒でさえ——地に身を投げ出し、声をあげて、サバタイ・ツェヴィ、主が油そそぎし者（彼は幸いなるかな！）が神の選民であるイスラエルの子らを救済しに来られたと呼ばわっている。罪びとたちは、そのときまで公然と神を否認してその怒りを招いていたが、今や悔い改め、粗布をまとって、償いとして町から町へさすらい、罪を告白するよう群衆に訴えている。キリスト教に改宗した金持ちたちは財産を捨て、ラビの足元にひれ伏して、群れに戻してほしいと嘆願している。エルサレムは再建されつつあり、今一度そのかつての壮麗さをすっかり備えて聳えている。多くの町で死は人々の知るところではなくなった。

レブ・ゲダリヤはほかにも多くのことを言い、彼が言えば言うほど聞き手の顔はますます紅潮し、家のなかはますます込み合い、お祭り気分になっていった。ネヘレと、その賓客をもてなしているほかの女たちは喜びの涙を流し、互いに抱擁した。男たちはひと言も聞きもらすまいと熱心に耳を傾けた。彼らは肩を寄せ合って立ち、独り言をつぶやき、到来しつつある大いなる日々を思って身を震わせた。レブ・ゴデル・ハシドは人ごみを押し分けて進もうとし、レブ・ゲダリヤの顔をまともに見たいと思ったが、足をさらわれた。ある少年が気を失い、戸外に連れ出してやらねばならなかった。青年たちの目は宗教的な熱狂で燃え、脇髪は震えて、玉の汗がひたいを流れ落ちた。レヴィはあらゆる手を尽くしてこの祝宴で騒ぎが起こらぬよう、そして一派に属する者たちだけが来るように計らったのだが、ゴライの人々は新顔が到着したのを聞きつけていた。少年少女が学びの家の窓を取り囲み、人々は互いに踏みつけ合いながら、夢中になってよそ者の伝える言葉を聞こうとした。レブ・ゲダリヤは両腕を二人の若者の肩に置いてテーブルにあがり、群衆が集まった戸口の方を向いた。彼のたくましい体つきと、共感に満ちた言葉はたちまち彼らの心をつかんだ。

「押してはならん、兄弟たちよ！」と彼は、思いやり深い、慈父のような声で叫んだ。「私はあなた方とともにいる。もし神のご意志であれば、我々はたびたび祝うことになろう」

レブ・ゲダリヤの登場で、ゴライでは人生がもっと愉快になったように思えた。厳寒であるにもかかわらず、日中は日の光に満ちていた。ゴライを取り囲む雪に覆われた丘は太陽の光を反射し、目がくらむほどで、奇跡のように大地と空が混ざり合った。空気は〈過越しの祭〉のにおいがし、救済と慰めの香りがした。町に屠畜人がやって来たと聞いて、村の使い走りをする者たちはすぐさま近隣の村々をめざして出発し、子牛や家禽を買いに走った。翌朝、町は牛のモーモーいう声が鳴り響き、ガチョウのクワックワッという声や鶏の鳴き声が響き渡った。スープや焼いた肉が再び登場した。古い食品棚から女たちはカビの生えた塩漬け用の板と漬け込み桶、上澄みをすくう柄杓、肉切り包丁を引っ張り出した。今一度、彼女たちはひづめの割れている動物〔ユダヤ教ではひづめの割れている反芻する動物は食べてよいとされる〕の肉屋の肉切り台のまわりに集まったが、それは長年のあいだ使われることなく、打ち捨てられていたのだった。肉屋たちは彼女らに囲まれて立ち、髄骨を鋭い手斧で断ち割り、肺や肝臓、腸を切り分けた。血まみれの皮がすでに柵に掛かっていて、風にさらしてあった。キリスト教徒たちでさえ喜び、脂ののった臀部や獣脂が今や安く買えると歓迎した。学びの家では、到着後三日目にレブ・ゲダリヤが祈りに来たが、彼は祈りを唱えるのではなく歌っているることがわかった。三つの金の王冠が彼のトルコ風の祈禱用ショールを飾っていた。彼のスカルキャップは銀糸で縫い取りをしてあって、〈贖罪の日〉にかぶるもののようだった。嗅ぎタバコ入れは骨製品で、パイプには琥珀の先端がついており、銀色の小袋にタバコを入れていた。彼はどの少年たちの頬もいとしげにつねり、父親たちに向かって彼らをほめた。学生たちのためには学識ある解釈を持ち合わせていた。一般の人々は彼の機知に富んだ言葉を喜んだ。祈りのあと、彼は人をやってウイスキーを一リットルほどと蜂蜜ケーキを買ってこさせた。彼はみずからそのケーキを自分の小さなナイフで薄切りにしたが、そのナイフには真珠色の柄がついており、切り分けたものを年齢や立場に応じて各人に分け与え、全員を名前で呼んで、だれのことも忘れなかった。肉づきのよい温かい手を差し伸べて、一人一人に、「すぐに会おう、エルサレムで、神殿の門でね」と言った。

レブ・ゲダリヤはゴライの市民にはありがたい新顔で、彼らの意気消沈しつつある気分をよみがえらせた。彼の到着は町が再び盛り上がるしるしだった。レヴィが率いるサバタイ・ツェヴィ一派は陰気なイチェ・マテスをすぐに忘れて、指導者としての地位をレブ・ゲダリヤにゆだねた。ラビの妻、ネヘレは、祈りの家の女性用の区画で彼を賞讃し、女たちに安息日のプディングを彼に送るように指示した。サバタイ・ツェヴィの敵対者である高齢で保守的なゴライの市民たちですら、おもてだってレブ・ゲダリヤに反対する者はいなかった。彼らもまた少々のスープと肉に舌鼓を打ったので、何も見ず、何も聞こえないふりをした。レブ・モルデカイ・ヨセフは学びの家の床を松葉杖で叩き、左のこぶしを振りまわして叫んだ。

「レブ・ゲダリヤは聖者だ！　義人だ！　そして義人は永久（とわ）に滅びない！」

レブ・ゲダリヤは数々の奇跡をおこなった。どの家でも彼の知恵と才能が論じられた。彼はスカーフを持ってきていたが、それにはサバタイ・ツェヴィの名が刺繍してあった。それを産気づいた女の腹の上に置くと、出産の激痛がたちまち止んだ。ネミロフの聖なるラビ・ミハエルから彼は魔法の真珠と硬貨をあずかってきており、それらは多くの人々の指によってつるつるにすり減っていた。彼は白癬に効く軟膏の作り方を知っていたし、月経過多を防ぐ丸薬の作り方を心得ていた。ゴライに来て以来、レブ・ゲダリヤはあまたの魂を救った。護符を使って、ある家から悪霊どもを退散させたが、その家では長年にわたって悪霊が住みついて増えていたのだった。それからまた、黒い犬におびえた子供にしゃべる力を取り戻してやったこともあった。レブ・ゲダリヤの敬虔さと学識は有名だった。

レヴィはまだ若く、会衆という軛を担うことに不慣れで、レブ・ゲダリヤがゴライの真の指導者になった。彼はあらゆる難しい事例に裁定を下し、共同体の精神的な必要性を満たすことに専念した。レヴィとともに彼は粉挽き場を訪れ、〈過越しの祭〉用の小麦を挽いてよろしいと宣言し、穀粒の見本を点検し、家から家へと袋を持ってめぐり、貧しい人々への施しを集めた。ゴライが初めて町となって以来、金持ちがこれほど多くを貧しい人々に与えたことはかつてなかった。レブ・ゲダリヤはよくまわる舌で裕福な人々を完全に圧倒し、堂々たる態度で彼らを魅了した。祭日の二週間前に、ゴライの人々はパン種を入れないパンを焼き始めた。レブ・ゲダリヤ自身が井戸からバケツで、ひと晩落ち着かせることになる最初の水を汲みあげた。彼はパン生地をこねる者たちに適切なこね方を教え、水をそそぐ者にはそそぎ方を、穴をあける者には穴のあけ方を教えた。彼はコートの袖をまくり上げることさえして、小麦粉だらけになりながら、テーブルの脇で女たちのかたわらに立った。パン種を入れないパンを長い木のへらでかまどに入れることまでした。ラビ・ベニシュのように怒りと厳しさをもってマツァ〔〈過越しの祭〉に食べるパン種を入れないパン〕の準備を監督するのではなく、レブ・ゲダリヤは喜びとおだてによって指示を出した。肉づきのよい唇のあいだにたえず長いパイプをくわえて、彼はおこなわれているあらゆることを見守った。年かさの女たちは彼に祝福をあびせて、〈神の臨在〉が彼の上にあると言った。若い女や娘たちは顔を紅潮させ、ますますせっせと働いた。ほほえみながら、レブ・ゲダリヤはずらりと並んだ力強い歯を見せて、叫んだ。

「急げ、子供たち！　来年はマツァを〈イスラエルの地〉で食べることになるぞ！　天使たちが備えてくださるだろう！」

〈過越しの祭〉の前の〈大安息日〉に、レヴィが解説をしたあとで、レブ・ゲダリヤが訓戒と慰撫に満ちた説教をした。彼は会衆に流浪の日々は残りわずかであると思い起こさせ、彼らに警告して、この世に生まれてくるはずの最後の魂たちが神の玉座の下で待機していると戒めた。人々を咎めて、こんなにも多くの若い男女がまだ結婚していないと叱りつけた。生めよ、という根本原理をこのようにないがしろにすれば救済が遅れることであろう。彼はカバラーを使って証明し、トーラーとシュルハン・アルーフ〔ヨセフ・カロ（一四八八～一五七五〕が編纂したユダヤ教法典〕にあるすべての掟は生めよ、増えよという命令を示しているのだと言った。そしてまた、日々の終わりが到来したときには、ラビ・ゲルショム〔九六〇〜一〇二八。重婚の禁止で有名なタルムード学者〕の一夫多妻の禁止令は無効となるばかりか、すべての「汝なすべからず」も同様に無効となるだろうと述べた。あらゆる敬虔な女性はそのときアビガイル〔ナバルの妻でのちにダビデの妻。「サムエル記上」第二十五章〕のように見目麗しくなるだろうし、月のものはまったくなくなるだろう。というのも、不浄な血は悪魔に由来するからだ。男たちは見知らぬ女たちを知ることが許されるだろう。そうした出会いは宗教的な義務と考えられさえするかもしれない。というのは男と女が一体となるたびに、彼らは神秘的な結合を形成し、〈聖なる者〉〔神〕、幸いなるかな、〈そのお方〉と〈神の臨在〉とのあいだの合一を促進するからである。レブ・ゲダリヤはこうしたことがらすべてを感じのよいやり方で説明し、多くのたとえ話を用いた。そらで〈ゾーハル〉や、カバラーのその他の著作から節をいくつかまるごと朗唱し、演説を神秘的な組み合わせや並べ替えで飾った。いく度か彼は視線を上げて、二階の女性用の回廊に目をやったが、そこは例年よりもっと多くの人で埋まっていた。女たちがレブ・ゲダリヤを共感のこもった目で見ていることはよく知られていた。

〈過越しの祭〉の数日前になると、村の使い走りの者たちは大量の動物や家禽をゴライに持ち込んだ。これらはごくわずかの金額で買えたし、レブ・ゲダリヤが要請して、出費を惜しむな、来るべき〈過越しの祭〉が救済の前の最後のものとなるだろうから、と言った。朝早くから夜遅くまで、彼は血で満ちた穴の前に立ち、屠畜人の長い包丁で、疲れも見せずに、温かい、ふくらんだ首に刃を入れ、数えきれない子牛や羊、鶏、ガチョウ、そしてアヒルを屠った。ニサンの月〔西暦の三月～四月。〈過越しの祭〉が行われる月〕となり、穏やかで太陽がよく照った。ゴライを囲む丘から雪の最後のなごりが消えた。長くて深い排水溝が町を通って川まで伸びていたが、それがあふれてあらゆる斜面を水浸しにし、家々の床さえも浸水した。水たまりに空が断片となって映った。わずかなそよ風でさざ波が立ち、よどんで、深い海原のようだった。学校にかよう少年たちは裸足で走った。農婦たちがゴライに来て、卵やワサビダイコンを売り、服を高くからげて、水をはねかしながらむき出しの足で歩きまわった。あちこちで最初の草が芽吹いた。騒々しい人だかりで中庭がいっぱいになったが、そこではレブ・ゲダリヤが家畜を屠っているのだった。煤にまみれた主婦や娘たちが、袖をまくり上げて、祭日を祝うためテーブルやベンチをごしごし洗い、灰で磨き、あまりに激しくナイフでこするのでキーキーときしる音がした。やかんで湯を沸かして、彼女たちは陶器類やスプーン、フォークなどを浄めた。素手で、指を焦がしながら、彼女たちは赤々とした石炭を持って水に投げ込み、水がシュウシュウと音を立てた。レブ・ゲダリヤは女や娘たちの厚い人垣に囲まれていた。羽毛が彼の頭上を雪のように舞い、もうもうとした湯気に運ばれていった。女たちは押し合い圧し合いして、互いに口論した。四方八方から手が上がり、閉じ込めた鶏をしっかりつかんでいた。翼はばたばたと激しく羽ばたきし、血がほとばしり、顔や服をよごした。古い木の切り株に身をかがめて、レブ・ゲダリヤは手慣れた早さで金を受け取り、たえず冗談を言ったが、それは彼が悲しみをひどく嫌っていて、神に仕える彼のやり方は喜びによるものだからだった。

彼のセデル〔過越しの祭の第一夜（と第二夜）の儀式的な正餐〕は学びの家でおこなわれ、そこで彼はサバタイ・ツェヴィ一派のほかの者たちと合流した。彼は正餐の主人席に坐り、白いスモックを着て、頭には山の高い被り物をつけた。あごひげと脇髪には櫛を入れ、沐浴場から戻ってきたのでしっとりしていた。ろうそくの炎が金糸で縁取られたスカルキャップに反射し、袖のサテンの縫い目や、ぶどう酒用の磨き上げた金色の杯、そして女たちの宝石に照り映えた。レブ・ゲダリヤが命じておいたとおりに、男女がいっしょに席についた。彼らはパン種を入れぬパンと肉類、茹でだんごとパンケーキを取り混ぜて、全員がともに食べ、かつ飲み、一つの家族のようだった。レブ・ゲダリヤは男やもめで、四度目の妻をすでに埋葬しており、枕付きの椅子にゆったりともたれかかり、少年たち全員に命じて、〈四つの質問〉〔セデルで最年少の男児がする儀式上の質問〕をいっしょに尋ねさせた。さらに、彼は定められた四杯を超えてぶどう酒を飲んでよしとした。学びの家のセデルにつどった者たちのなかにレブ・イチェ・マテスと妻のレヘレがいた。レブ・ゲダリヤはレヘレを自分の右側に坐らせて、メシアの妻サラの話をし、サラがその愛らしさで王たちを魅了したと語った。彼は彼女にこっそり告げて、サラはかつてローマの売春宿にいたのだと教えた。彼はレヘレに丁重に呼びかけ、彼女が一派の者であるかのように扱った。

「レヘレ」と彼は言った、「天使やセラフィムがあなたの高貴な精神をうらやんでいる。あなたの名前はラケル〔旧約聖書の族長ヤコブの妻〕から来ており、ラケルの美しさはあなたのものだ」

その夜以降、ゴライの歓喜はやむことがなかった。

〈過越しの祭〉の第一日も第二日もともに、演壇に進んでトーラーの祝福を朗唱する男はみなサバタイ・ツェヴィへの特別の祝福をつけ加えるように求められ、先唱者はこう詠唱した。

「ご自身の王国に救いをもたらすお方がどうぞ、我らの〈師〉、聖なるラビであり聖者であり、彼において我らが救われるサバタイ・ツェヴィ、すなわち〈ヤコブの神のメシア〉を祝福し、守り、助け、高め、称讃し、高きところへ上げたまわんことを」

朝の祈りと午後の祈りのあいだに、レブ・ゲダリヤは説教のなかでゴライの人々に命じて、犬や猫、そのほかの不浄な獣を家から排除するように言った。祝宴ののちの午後には祈りの家の中庭で踊りがあって、男女がともに輪になって踊った。学校にかよう少年たちはヤギのように跳ねて歌った。「白い鳩たちは羽づくろい——メシアはお目見えで身づくろい！」力のある男たちが足の不自由なレブ・モルデカイ・ヨセフをかついだ。青年たちはあちらこちらへぐるぐるまわり、ありとあらゆるばかげた行為にふけった。キリスト教徒たちでさえユダヤ人が楽しんでいるのを見物にやって来た。祭日の中間の日々〔〈過越しの祭〉は〈イスラエルの地〉においては七日間、流浪の地においては八日間祝われる〕には結婚の契約書が書かれ、幸運の皿が八歳を過ぎた少女のいるあらゆる家で割られた。〈過越しの祭〉のすぐあとに、サバタイ・ツェヴィの偉業について新たな話がゴライに広まった。

それによると、スタンブールのトルコ人たちがサバタイ・ツェヴィに敵対して決起を試み、彼は彼らのことごとくを殺してからある要塞に逃れたが、そこは〈天地創造の六日間〉このかた彼のために取り置いておかれた場所だというのだった。彼は〈過越しの祭〉の捧げ物を屠り、それを脂身で焼き、一方、メシアの妻サラはスルタンの椅子に坐って、カリフ〔イスラム教国の首長〕やパシャ〔トルコの高官〕たちが彼女にかしずいた。学者や聖職者たちが彼女の足に口づけをして、彼女の唇から出るトーラーの神秘に耳を傾けた。ダビデ王の王冠をつけて、サバタイ・ツェヴィは父祖たちに囲まれていたが、彼らはマクペラのほら穴〔アブラハムが買った埋葬地で、アブラハム、イサク、ヤコブ、妻たちがそこに埋葬された。「創世記」第四十九章三十一節〕にある墓からよみがえったのだった。毎日サバタイ・ツェヴィは海岸へ出かけていき、有力者たちを迎えるのだが、彼らはサムバチオン川の向こう岸から帆船で到着し、〈十支族〉の王たちから送られた何タラント〔古代ギリシア・ローマ・ヘブライなどの貨幣・重量の単位〕もの金や宝石を携えてきた。五十人の騎士がメシアの前を馬で進み、歌い手たちが讃歌とともに彼に従い、全能者を讃えた。大地は響き渡る彼らの声で裂けた……

サバタイ・ツェヴィに反対する者たちは押し黙った。そのなかのある者たちは今では彼を信じた。ほかの者は迫害を恐れて何も言わなかった。学びの家では若者たちが神殿の建築についての説明を熟読し、祭司の子孫たちは捧げ物や祭壇に振りかける犠牲の血について研究した。日が暮れるや否や、赤々と輝く前兆が空に現れた。ある晩レヘレが自分のスープをのぞき込むと、頭に金の冠をつけた七人の乙女が見え、この世のものとは思えぬ甘い調べの旋律が聞こえた。その秘密をだれにも明かさぬまま、すぐに彼女はレブ・ゲダリヤに伝えようと出かけた。

レブ・ゲダリヤはたまたま家に一人きりでいた。ろうそくが一本、銀の燭台で燃えていた。テーブルにはぶどう酒を入れた陶器の壺が置いてあった。銀の皿には焼いた鶏が載っていた。レヘレがしゃべる前に、レブ・ゲダリヤは立ち上がり、両腕を差し伸べて走って出迎え、叫んだ。

「よく来た、おお、有徳の婦人、神の名にかけて！　まことに、私はすべて承知している！」そして彼は彼女の背後でドアを閉めた。

六月の初め、シヴァンの月〔西暦の五月〜六月〕の第十四日の真夜中に、レヘレが贖罪の断食のあとで天蓋付きのベッドに横になっていると（レブ・イチェ・マテスは夜通し学びの家にとどまっていた）、風の吹く音がして、翼の羽ばたきが聞こえた。きらめく赤い輝きが彼女を取り巻いた。炎が家を覆いつくすかに思え、一つの声が呼ばわった。

「レヘレ、レヘレ！」

「お話しください、しもべは聞きます」、とレヘレは答えたが、彼女は聖書を学んでいたので、幼いサムエルと祭司エリの物語〔神に呼ばれたサムエルはエリに教えられたとおりに「しもべは聞きます。お話しください」と答える。「サムエル記上」第三章十節〕を思い出したのだった。

「レヘレ、強く、しっかりせよ！　私は天使サンダルフォンである！」と畏怖の念を起こさせる声が言った。「なんとならば、見よ、私は汝の涙を瓢（ふくべ）〔ひょうたんで作った容器〕に入れて、高きところに携え、栄光の玉座に運ぶであろう。汝の祈りと嘆願は七つの天空を貫いた。行け、そして神の言葉におののく者たちの耳に宣言して、完全かつ全き救済が新たな年に到来するであろうと述べよ。そしてレブ・ゲダリヤ、あの聖なる者に向かい、汝はこう告げよ。『高きところのすべての世界はまことに彼がなす合一におののく。彼の組み合わせの力は天上の住まいにまで及ぶ。これらの組み合わせからセラフィムと天使らは〈神の臨在〉の宝冠を編む』」

一晩中その声はレヘレに呼びかけ、途切れることなく、ときには聖なる言語で、またときにはイディッシュ語で語りかけた。空気は煙でどんよりとし、赤熱し、ぼんやりとした紫色の光で重くなった。レヘレは壁がばらばらになり、天井がなくなって家全体が雲の上にあるのを感じた。恐ろしくて気絶し、彼女は手足をぐったりさせて横たわった。目がどんよりとし、両腕両足はふくらんで、死体の手足のようにこわばった。明けの明星がのぼり、夜明けとなって、声は鎮まったが、レヘレは日の出まで動かなかった。それからようやく彼女は目覚め、失神から回復した。耳にはまだあの声が鳴り響き、頬は涙で濡れ、体の具合が奇妙で冷たく、死の瀬戸際から戻ってきたみたいだった。それにもかかわらず彼女はよろめく足でベッドから起き上がって、水をいっぱいに張った大樽で顔を洗い、儀式をおこなっているかのように乳房と太ももをゆすいだ。それから安息日用の衣服を着て、宝石をつけ、ベールで顔を覆って、祈りの家の中庭へ向かった。すれ違った人々は彼女がそんな身なりをしているのを見て驚いた。ある人々は彼女が悪霊に支配されていると思った。ほかの人々は彼女のあとをつけて、何が起きるか確かめようとしたが、それはすぐに、これは尋常なことではないと察したからだった。レヘレは学びの家の敷居をまたぐや否やうつぶせに倒れた。祈りの最中だったけれども、礼拝中の者たちはレヘレが倒れるのを見て、〈十八の祝禱〉を中断した。レブ・ゲダリヤは聖句箱を銀の入れ物に収めているところだったが、びっくりして取り落とした。男が何人かその女に近寄って、助けようとしたが、これは何か人として放置できない事態だと思ったからだった。しかし突然にレヘレが声を発した。それは部屋中に響き渡った。

「おお、ユダヤ人たち！　おまえたちは幸いだ、おまえたちの魂は幸いだ！　私は偉大な光を見た。真夜中に偉大で畏敬すべき天使サンダルフォンが私のところに来た。彼は驚くべきことがらを告げた。新たなる年に、良きことが我々のもとに来たるであろう、というのは神を畏れる者たちがエルサレムにつどうであろうからだ。強く、しっかりせよ、おお、ユダヤ人たち、そして断食を布告せよ。そして聖者、レブ・ゲダリヤについては、天使はこう宣言された。『彼が明かされる時が来た。なんとなれば彼は敬虔なる者であり、エリヤのごとく、〈神の臨在〉の御顔を見るに値する者であるからだ』」

レヘレはとぎれとぎれにしゃべり、あたかも眠っているかのようだったが、非常によく響く声だったので、その反響は町じゅうに聞こえ、ゴライの人々が走ってきた。商店主たちは店を放り出し、職人たちは粗布の前掛けを腰に巻いたまま駆けつけ、女たちは乳飲み子を揺りかごに置きざりにして息を切らして学びの家に飛び込んだ。若い男女はテーブルに飛び上がったり、書棚にぶら下がったり、まさに壁にまでよじ登って、何が起きているのか見ようとした。いたずら者たちは学びの家に窓から入り込み、うっかり銅製の枝付き燭台にぶつかる者もいて、叫び声と騒動が起こったが、それが落ちてくれば大惨事となるところだった。知らせを耳にして、糸車の前に坐っていた体の麻痺したある老女が服を引っ張るようにして身にまとい、女預言者を見ようと走った。しかしあまりに大混乱だったので、だれもこの驚嘆すべきできごとに気づかなかった。そうこうするあいだレヘレは、両手両足を伸ばしたまま、相変わらずそこで横になっていて、奥義中の奥義を明かしていたが、それらは人の子がかつて聞いたことのないようなものであり――ましてや女が耳にするはずのないものだった。彼女は天使やセラフィムを名前で呼び、天の住まいについて語り、それらの住まいをそれぞれ治める主人たちについて話した。〈ダニエル書〉の謎めいた数節は普通の頭の持ち主にはひどく不可解なのだが、彼女は解き明かした――預言の霊がレヘレに入ったことはだれの目にも明らかだった。数人が気を失った。群衆に戦慄が走り、それはゴライのだれ一人としてかつてこのようなことを目にしたことがなかったからで、これは神がユダヤ民族を哀れんだしるしであり、日々の終わりが近いしるしと解釈された。

レブ・ゲダリヤはレヘレの上に身をかがめ、その声に聞き入り、恐れで身を震わせた。彼の体を屈強な二人の男が支えねばならなかったが、それというのも彼は足が立たず、熱でもあるかのごとく震えたからだった。レヘレがまるで死んだように横たわってようやく、レブ・ゲダリヤは身振りで示して、彼女の顔を祈禱用ショールで覆うようにと指示した。それから彼は彼女を抱いて演壇へ運んだ。

学びの講堂はあまりにぎゅうぎゅう詰めになってしまい、ピン一本割り込む余地もなかった。しかしながら、群衆はレヘレのために通り道をあけ、まるで彼女がトーラーの聖なる巻き物であるかのようだった。彼女が通るときに指先で彼女に触れて、その指を唇にもっていく者たちさえいて、巻き物が聖櫃から取り出されるときさながらだった。レヘレの左足の靴が落ち、レブ・ゴデル・ハシドはそれを何か神聖な器のごとく取り上げた。レブ・ゲダリヤはレヘレを演壇のテーブルにおろし、メノーラー〔ユダヤ教の儀式で用いる七本枝の燭台〕にろうそくを灯すようにと命じた。それから彼はその女に近づき、彼女のひたいに口づけをして、震える声で言ったが、それは彼ののどが涙で詰まっていたからだった。

「レヘレ、わが子よ、気を強く持ちなさい！　我らは幸いだ、〈神の臨在〉が我らのもとに戻ったのだから、そして汝は幸いなるかな、汝は選ばれたのだから！」

学びの家は、女たちのすすり泣きと男たちのささやき交わす声でいっぱいだった。不安げにみなは女預言者が再び口をひらくのを待った。レヘレは目をあけた。

彼女の病んだ体はさむけがするかのように震え、歯がかちかち鳴った。しゃべらねばという思いでもがいているように見えたが、再び力がなくなって、甲高く悲しい叫び声を上げた。それから、ため息をついて、今一度じっと動かなくなり、まるで魂が抜けてしまったかのようだった。レブ・ゲダリヤは背筋を伸ばして立ち、両腕を上げて、静かにするようにと合図した。彼の絹のコートがぱっとひらき、帽子の頂が空を指して、その姿全体に天への畏怖がみなぎった。古（いにしえ）のあの偉大な人々の一人のようで、イスラエルの指導者を彷彿させた。

「ユダヤ人らよ！」と彼は叫んだ。「幸いなる神が我らのために偉大な奇跡をなされた！

天使サンダルフォンが今日のこの日、レヘレの唇を通して我らに語られた！　預言が戻ってきたのだ！　我らみなで感謝の祝禱を唱えようではないか！」

「幸いなるかな、汝、おお、主よ、我らの神、世界の王、我らを生かし、養い、我らに今日という日をもたらされたお方！」と、ことごとくの口が応えた。壁がその反響で震え、演台のまさに柱が揺れ動くように思えた。

「使節たちを送ろうではないか！　知らせをあらゆる共同体に広めようではないか！」

「私が行こう！」とだれかが叫んだ。それは足の悪いモルデカイ・ヨセフだった。「私が走り、全世界を目覚めさせよう！」

「行きなさい、モルデカイ・ヨセフ！」とレブ・ゲダリヤが大声で呼びかけた。「そしていっしょに、女預言者の夫、イチェ・マテスを連れていきなさい！　ためらうな——知らせを広めよ！」

「イチェ・マテスはどこだ？」

「イチェ・マテスを連れてこい！」とレブ・モルデカイ・ヨセフがきしるような声で言い、両手で頭を押さえて、まるで気が狂いそうな様子だった。彼は松葉杖を投げ出した。

生涯にわたってレブ・モルデカイ・ヨセフは、カバラー主義者で奥義を研究する者として、この日を予期し、世界に出ていくことが自らの使命となるだろう日を待ち受けていたのだった。彼が常に恐れていたのは、自分の啓示と警告がだれの耳にも届かないのではないかということで、それは彼の名がゴライの外では知られていないからだった。しかし今やレブ・モルデカイ・ヨセフの声はポーランド中に鳴り響き、あらゆる共同体を揺り動かすことができよう。彼はもうすでにルブリンで年一度の市にいる自分を思い描き、〈四地域協議会〉に集まった人々の前に立ち、獅子のような彼の声を轟かせて、おおぜいの重要なユダヤ人たち――ラビたち、義人たち、学識ある者たち、裕福な者たち――に向かって声を張り上げ、サバタイ・ツェヴィを疑う者たちにピッチ〔コールタールなどの蒸留後に残る黒色の物質〕とタールを浴びせかけ、叩きのめして太い縄で縛り上げろと命じているところを想像した。彼らの書いた小冊子や書簡は火で焼かれねばならず、その炎の輝きは天にまで達するだろう。熱狂のあまり、レブ・モルデカイ・ヨセフはゴライの学びの家のその場に立ち、説教を始めた。

「〈ヤコブの神のメシア〉に誓って言うが、レヘレは真の女預言者である！　疑う者どもに災いあれ！　やつらの魂は哀れなるかな！　やつらは呪われよ！　やつらの滅びんことを！　男たちよ、聞いているか？　やつらが根こそぎ取り除かれんことを！　だが、おお、あなたがた、真の信仰者たちよ、主において喜べ！」

　レブ・モルデカイ・ヨセフは咳の発作に見舞われ、そしてそれから突然にレブ・ゲダリヤがレヘレを抱き上げて、控えの間に通じる出入り口に向かった。歌がすべての人ののどから湧きおこった。男女が抱き合い、口づけをし、互いに腕をまわして、踊りながら学びの家を出た。帽子やボンネットが頭から落ちたが、だれも気にしなかった。キリスト教徒たちが祈りの家のまわりに集まっていたが、後ずさりし、その光景に怯えた。彼らはひざまずいて、頭を垂れ、神の名があちこちで聖なるものと唱えられた。青年たちはトーラーの巻き物を取り出し、聖櫃の幕を棹にかけて天蓋のようにし、レブ・ゲダリヤとレヘレの頭上に高々と掲げた。ゴライが初めて町となったとき以来、こんな歓喜はあったためしがなかった。病人や寝たきりの者たちすら救貧院から連れ出され、その祝日を目の当たりにした。奉公人のなかには熱心さのあまり、遺体を浄める板を持ち出して、市の立つ広場の中央で燃やし、死がこの日以降ユダヤ人のなかでは途絶えるしるしとした。そしてまさにその日、レブ・モルデカイ・ヨセフとレブ・イチェ・マテスは、レブ・ゲダリヤとレヴィが書き、多くの証人が署名した羊皮紙の書簡を持って、ずだ袋を腕にさげ、出立し、その知らせを遠く、広く伝えに出た——神を信じ、サバタイ・ツェヴィ、すなわち神のメシアを信じる人々の心を喜びで満たそうというのだった。

第6章　汚物の山での結婚式

レブ・モルデカイ・ヨセフとレブ・イチェ・マテスは出発し、遠く離れたところまでさすらい、良き知らせを携えていった。ゴライでは、彼らがもうすでにポーランドの国境を越えて、今はドイツかボヘミアのどこかにいると信じる人々もいた。また、この使節たちが船に乗ってスタンブールに向かい、メシアに会いにいったと考える人々もいた。今ではゴライの町の実務はレブ・ゲダリヤが取りしきった。彼の新しい裁定は〈シュルハン・アルーフ〉で言及されている慣例と食い違っていたが、わずかに残っている学識ある人々は何が起きているのかを見たり聞いたりしていないふりをし、それは一般の人々がレブ・ゲダリヤを信じているからだった。レブ・ゲダリヤについて言えば、彼はレヘレを彼の家に住まわせ、彼女が既婚女性であるにもかかわらず一つ屋根の下でともに暮らした。一部屋を彼女のために白く塗らせ、壁には守り札をいくつか掛けて、聖櫃とトーラーをそこに置いた。レヘレは白いサテンの服を着た。顔はベールで隠した。週日は、彼女の世話をする〈信心者のチンケレ〉を除いて、だれも彼女の姿を見ることができなかった。しかし安息日には一派の女が十人、彼女の部屋に集まって、まるで男性のように、祈りの定足数を構成した——というのもレブ・ゲダリヤがそのように命じたからだった。女の先唱者が聖書台の前に立って安息日の祈りを朗唱した。それから巻き物が聖櫃から取り出され、レブ・ゲダリヤがしかるべき旋律を詠唱した。さらに彼は、七名の女が聖書台に呼ばれて安息日の朗読をするようにし、それぞれの朗読のあとに感謝の祝禱を、サバタイ・ツェヴィと女預言者レヘレの名において捧げるようにと命じた。

　彼の名はゴライで偉大なものとなり、周辺の地方すべてにおいて大いなるものとなった。

主婦たちは彼に鶏、卵、バター、蜂蜜の十分の一を捧げた。特別な人頭税が彼によって裕福な者たちに課された。彼は子牛を一頭屠畜するごとに、習慣どおりに食用の胃と脾臓を自分のために取りのけるばかりでなく、腹部も全部自分のものとした――これらを彼は浄めたが、もっとも今日ではそのようにする慣例とはなっていない。彼はこうしたものを自分のために必要としたわけではなかった、そうではなく、レブ・ゲダリヤのためではなく――貧しく、飢えた人々のためだった。安息日の午後に、彼は昼の祝宴を学びの家でひらき、各家庭が彼に、彼の好みに応じた味つけのプディングを送った。男と女がベンチに坐ってテーブルに向かい、あるいはテーブルのまわりに集まって、レブ・ゲダリヤが安息日の新しい讃歌を歌い、子牛の足のゼリーをみずから取り分けて供し、めいめいにぶどう酒を一杯与えた。ぶどう酒は赤で、生姜、丁子、サフランの香りがした。レブ・ゲダリヤはそれとなく、義人たちがエデンの園で飲むよう取っておかれるぶどう酒のような味だとほのめかした。

注目すべきことをいくつかレブ・ゲダリヤはおこなって、彼の情け深さが有名になった。彼は非常に慈悲深く、真夜中に起き上がっては病人の看病をするのだった。重要人物なのだが、彼は必要とあらば袖をまくり上げて、アルコールやテレビン油で男でも女でも同じように揉んでやった。病人に冗談を言い、笑わずにはいられなくして、苦痛を忘れさせた。子供たちのためには、牛の鳴きまねや鳥のさえずりの物まねをした。どもり癖のある人たちは彼の指導で適切にしゃべるようになった。憂鬱症の人々は、彼がしばらくいっしょにいたあとで心の底から笑った。彼は手品や奇術に長けていて、スカーフをウサギに変えることができた。彼の両ひじを帯で縛らせ、息を吹きかける、するとひじがまた自由になるのだった――そしてそれからその帯を、彼を縛った人のシャツの下から取り出した！　複雑な謎かけを解くことに熟達していて、いくつかの単語を一列に並べて、ふつうのヘブライ語のように右から左へ読めると同時に上から下へ読み下せるようにも書くことができた。彼を訪ねてやって来る主婦たちには新しい種類の砂糖煮の作り方を見せてやり、娘たちにはキャンバス地でどう刺繍するかを教えた。午後遅くに川で沐浴をして、青年たちに水泳や立ち泳ぎのやり方を指導した。そのあとに全員で午後の祈りを川岸で、大空のもと、唱えるのだった。一度、上機嫌だったとき、義父母の家で暮らす二、三人の血気盛んな若者を集めて丘の向こう側に出かけ、そこで水浴びをしている女たちをびっくりさせに行ったことがあった。そのあとは大混乱となった。より敏捷な女たちは悲鳴を上げて水に飛び込んだ。大柄で動きの鈍い女たちはうろたえたあまり立ちすくんだままだった。裸のまま男の目にさらされて、彼女たちは人前で恥をかかされた。その晩はふざけた、軽率なふるまいが多く見られた。それにもかかわらず、このせいでレブ・ゲダリヤが悪く思われることはなく、それというのも彼はすでに因襲にとらわれないやり方で有名だったからだ。数人の隠れた敵たちだけが彼に異を唱え、いら立ちを隠そうとしなかった。

彼らは彼についていて不快なことをささやき声で言った。彼がゴライの屠畜人になって以来、一度たりとも食用に適さない不浄な動物を見つけたことがない――これは肉屋の支持を得るためだ、と彼らは言った。動物について疑義が起きると彼は常に清浄であると裁定し、清浄さにかかわる掟をすべて放棄してしまっている。彼は女たちが月経のあとすぐに沐浴場に行くことを許し、それから夫と寝てよいとする〔ユダヤ教では本来は月経開始の五日後に七日を加えてから女性は身を浄め、夫との関係を許される〕。つまり彼によれば、夫婦は特別に加えられた七日間の禁欲を守る必要はないのだ。彼は若い既婚女性たちに夫の欲望を掻き立てる方法を説明し、彼女たちに耳打ちして、サバタイ・ツェヴィが世に明かされて以来、不義を禁じる戒律が無効となっているとささやいた。若者たちが妻を交換しているとうわさされたし、だれもが承知していたが、レヴィの妻ネヘレは男たちを家に迎え入れ、真夜中過ぎまで彼らといっしょにいて、みだらな歌を歌っていた。召使いの小娘が鍵穴から覗いてくるようにと遣わされ、ネヘレがブラウスの留め金をはずすところを見たという話があって、訪問客たちに乳房を差し出して押させたり、乳首に口づけさせていたというのだった。レヴィに関しては、彼が兄オゼルの娘グリケに強要して床を共にし、オゼルにポーランドの金貨三枚を礼金として支払い、罪が露見しないようにしたと言われていた。学びの家でいっしょに勉強している若者たちはありとあらゆる悪事に手を染めた。真っ昼間に女性用の回廊に上がっていき、互いに男色にふけり、獣姦をおこなった――ヤギとである。晩には沐浴場に行って、壁にあけておいた穴から、女たちが浄めをおこなっているのを見た。若い学生のなかには女たちが用を足すのを覗きに行く者さえいた……。

ゴライには年配の家長はほとんどおらず、彼らが小言を言ってもだれも気に留めなかった。レブ・ゲダリヤはいく人かを高価な贈り物で買収した。ほかの者たちには警告して、彼のやり方に逆らうなら破門するとおどし、あるいは捕らえて学びの家の控えの間の柱に縛りつけると通告した。彼はまたゴライの領主の前にまかり出た。流暢（りゅうちょう）なポーランド語で話し、領主の庇護を取りつけて、彼を倒そうとする者は罰すると領主に約束させた。

ゴライ、世界の果てのあの小さな町は一変した。だれもあの町だとはもうわからなかった。

レブ・ゲダリヤの出現以来、そして女預言者の奇跡があってからというもの、町は栄えた。ヤヌフから、そしてビウゴライ、クラスニスタフ、トゥロビン、ティシュヴィツ、さらにほかの居住地から、人々が聖なる二人を訪ねてきた。レヘレが体を洗った水には回復をもたらす力がある、とレブ・ゲダリヤは宣言し、それを入れた樽が彼の家の控えの間に置かれた。治癒を求めてあちこちさすらい、気力も失せた人々がゴライにやって来た。彼らはレブ・ゲダリヤの家の玄関前に集まった。まるで犬が吠えているようなしゃっくりをする若い女たち。子供が授かるかもしれない祝福を求める不妊の女たち。体に爬虫類の形をした痣のある異形の女たち。麻痺があったり癲癇症だったりする女たち。〈信心者のチンケレ〉が戸口に立って一人一人なかに案内した。来訪者の多くはゴライの宿屋で長いあいだ待たねばならず、それからレブ・ゲダリヤの家に入れてもらうのだが、そうやって彼から守り札や魔法の琥珀、体の具合の悪いところに塗る膏薬や服用すべき丸薬をもらおうとした。彼は病気の子供たちの顔を舐め、関節炎にかかった女たちを揉み、彼らを家に泊めた。奇跡をおこなう者のもとに来る人々の数は日ごとに増した。彼女らはゴライで買い物をし、町の民家の敷物もない床で寝て、むさぼるように女預言者レヘレに関する驚くべき話に聞き入った。いたるところで、彼女らは家々の前のベンチに腰をおろした。スカーフを目深に引き下げ、手は食べ物を入れたバスケットを握っていた。胸のあいだには健康が買えるはずの銅貨を入れた小袋を下げていた。若い女たちは恥ずかしがって、何も言おうとしなかった。しかし年長の女たちは靴下を編みながら、楽しそうに自分たちの病気の話をし、さまざまな魔術師や奇跡をおこなう人々に教えてもらった治療法を語った。月経が早くに止まってしまった女たちは割礼で切り取った赤ん坊の包皮を食べるように助言された。夫に喜びを与えたいと願う女たちは、乳房を洗った水を夫に呑ませるとよいと言われた。癲癇のある女たちは手と足の爪を切ってパン生地の塊に練り込み、犬に投げてやるようにと告げられた。ときどき、年長の女たちは子供に恵まれない若い女たちをからかい、みだらな話をして驚かすのだった。

そしてそれから、とうとう、男たちもまた、町にやって来始めた。乞食や流れ者がいた。苦行者がいたし、再婚を許される書きつけのために百人のラビの署名を集めようとしている夫たちもいた。あるイェシヴァ〔ユダヤ教の専門教育機関〕の学生はカバラーを教えてくれる師を探していた。靴のなかに豆を入れて我が身を苦しめている悔悟者もいた。アムステルダム出身の改宗者もやって来たし、沈黙の誓いを立てた男や、さらには女に目を留めずにすむよう目隠しをしたまま歩きまわる楽団員、施しを求めてはわいせつな詩歌を披露する裸足の道化もいた。これらの者たちは巡礼者に物乞いをして暮らし、救貧院で寝たり、あるいはそこが満員なら、どんな片隅でも見つかればそこに寝た。悪行がしばしばひそかに起きた。一度、ゴライに来ていた放浪中の乞食二人が結婚しようと決め、数人のいたずら者によって汚物の山の上で結婚したのだった。

第7章　結合の時間

ひどい旱魃の年だった。家畜の飼料に使われる草が枯れてしまい、農民たちは家畜を半値で売った。畑に生える小麦はまばらで、茎は軽く、中が空洞だった。焼けるような風が刈り入れ前の穀物を続けざまに打ち、まだ青い実を木からもぎ取った。毎日おおぜいの農民がゴライを通って礼拝堂と社（やしろ）に向かい、雨ごいをした。彼らは非常に貧しかったので、男たちは麦わらを衣服代わりにまとっていた。頬はこけ、突き出ておびえた目が、束になった亜麻色の髪の背後から狂人の目のように凝視していた。女たちは背中にジプシーよろしくシーツでくるんだ赤ん坊を背負っていた。うろつきまわるこうした人々の足は道の土ぼこりで黒くなり、声は彼らの神に嘆願したため嗄れて、まるでもうすでに死んでいるかのようで、自らを墓まで送っていく行列のように見えた。村のうわさでは、ユダヤ人は自分たちのメシアと合流しに出ていく前に、悪魔を説得してキリスト教徒を皆殺しにするよう言いくるめたというのだった。日々、水の精が一人、また一人とキリスト教徒を連れ去った。水の精は牛のように大きく、川の流れに逆らって泳ぎ、毎晩早い時刻に見まわって犠牲者を捜した。彼のいつものやり方は、歌っておどけたしぐさをし、通りかかった者の気を引くのだった。また、これが悪魔の企てる唯一の悪事というわけではなかった。最近は、黒雲のようなイナゴの群れに畑を急襲させた。それにまた、世界の野ネズミを呼び集めて、小麦の畝のあいだの溝を飛びまわらせたり納屋のなかを駆けまわらせたりした。そしてある晩一人の農夫が、風車の近くで幽霊が竹馬に乗って踊っているのを見たのだった。それはぐるぐるまわって跳ねまわり、口笛を吹き、顔にあごひげが生えていて、足にはガチョウの足のような水搔きがあった。野生の生き物がそれを丸く囲み、キツネ、ケナガイタチ、テン、狼どもが取りまいていた。彼らはまるで鳥みたいに翼をばたばたさせて、笑いながら飛んでいった。ある晩遅くに水を汲もうと井戸まで行った若い女は、バケツに何か生きたものが触れたように思い、深みから響く声が叫ぶのを聞いた。

「汝の魂をおれに売れ、器量よしの者よ。汝に美味なるアーモンドとビーズの首飾りを与えよう。汝の頭に王冠を置き、わが妃としようぞ」

村の農民たちは自分たちの怒りを口に出さなかった。無言のまま日々、収穫すべき作物もないのに草刈り鎌をとがらせ、無言のまま斧の刃をやすりで磨いた。反乱を起こそうと考える者たちもいて、ポーランドの支配階級に加えてユダヤ人も殺す気でいた。フメリニツキーのころのように、コサック軍がウクライナとヴォルヒニアから進軍して、抑圧された人民の仇を討ってくれると予測する者たちもいた。これでは不足と言わんばかりに、邪視の常習者が数を増した。家畜が乳を出さなくなり、女たちが黄疸で黄色くなった。コツィツァの村では家長たちが魔女を生き埋めにした。彼らは蹄鉄を魔女の左足に打ちつけて魔女が墓から逃げ出せないようにし、魔女の口にはケシの種を詰め込んだ。マイダンの村では農民たちが魔女を森に誘い込み、鎖で木に縛りつけて、服を剥いでから魔女のまわりに火を起こした。村人たちは、裸の魔女がもがき苦しみ、あまりの苦しさに体を掻きむしって悪魔の名を唱え、ついに炎に焼き尽くされるまで見守った。そのあとで四人の女が鎌で亡骸をめった切りにして野原に埋め、塚も作らず十字架も無しにして、どこに埋まっているかわからないようにした。

ゴライの最年長の者たちにもそんな時代は記憶になかった。パンを一つ手に入れるのもむずかしかったが、肉は豊富だった。毎晩早くに肉屋の小僧たちが群れごとごっそり子牛や羊、ヤギを屠畜場に追い込んだ。彼らは乳房がしなびて乳を出さなくなった雌牛たちも連れてきた。こうした動物たちの脇腹はやせこけ、汚物がぶ厚くこびりついていた。あばら骨は突き出て、樽板のようだった。腹は空の袋のようにだらりと垂れていた。黒い、湿った毛だらけの鼻づらは飢えと渇きでげっそりしていた。そして町には哀れなモーモーという鳴き声が響いた。彼らは肉屋が最初にひと押しすると倒れ、もがきもせずに息絶えた。レブ・ゲダリヤは緑色の屠畜用のナイフを持ってせわしなく動き、毛を剃った首を慣れた手つきでさっと切り、うしろに下がって血しぶきを避けた。肉屋は手斧を持って動きまわり、まだ息をしている獣の頭を切り落とし、巧みに皮を剥いで、体を裂き、赤くなめらかな肺やほとんど空の胃や腸を引っ張り出した。彼らは気管から息を吹き込んで肺をふくらませ、ふくらんだ臓器をぴしゃりと打って、垂れ下がった個所に唾を吐いて裂け目があるかどうかを確かめたが、裂け目があればその動物は不浄となるのだった。レブ・ゲダリヤは屠畜場の中央に立ち、ナイフを歯と歯のあいだにしっかりくわえ、脇髪とあごひげはぼさぼさで、袋のような毛深い頬の奥に深くくぼんだ目をぎょろつかせて、検査を終えろと肉屋たちを急かし、異議を唱えた。

「急げ！　清浄だ！　清浄だ！」

それというのもレブ・ゲダリヤはひどく時間を惜しまねばならなかったからだ。ゴライ全体の重圧が彼の双肩にかかっていた。長老たちが町民会議で彼の見解を聞こうと待っていた。女たちは孤児の娘たちにどうやって持参金を準備するかについて彼の助言を求めた。ゴライの領主の賢明なる判断で、課税と徴税の権限が彼に付与されていた。使節たちがサバタイ・ツェヴィの手紙をザモシチやルドミルから彼のところに携えてきた。ほかの町の金持ちが彼の膏薬や薬をほしいと嘆願した。悪霊にとりつかれた人々、まじないをかけられた花嫁たち、腹のふくらんだ子供たちが彼のところへ連れてこられた。レブ・ゲダリヤの部屋のテーブルには羊皮紙の束や鵞ペン、天から降ってきた霰(あられ)、阿魏(あぎ)〔セリ科の薬用植物から取ったゴム樹脂を固めたもので駆虫剤、鎮痙剤などに用いた〕の玉がうずたかく積み上がっていた。ヒルを入れた壺はいつでも手の届くところにあったし、部屋のどこかにレブ・ゲダリヤは天使や悪鬼の名を記した巻き物を持っていた。どこか隠れた別の場所には黒枠の鏡と、紐に通したビーズにつけた十字架が隠してあった。若者たちがよく訪れて、ガザのナタン〔一六四三/四～八〇。ガザの預言者と呼ばれ、サバタイ運動の中心人物の一人〕やアブラハム・ハ・ヤヒニ〔一六一七～八二。サバタイ運動の指導者の一人〕の回状を研究した。レブ・ゲダリヤはこうした若者たちを訓練して、壁からぶどう酒を取り出したり、カバラーの定式文句に従って場所から場所へ移動する魔法学の手ほどきをした……

　ゴライは有頂天だった。二、三日ごとに結婚式があった。十二歳の花嫁たちがふくらんだ腹を抱えて通りを歩いたが、それは信心深い女たちが自分の娘と娘婿が夫婦関係をたびたび持つように計らったからだった。さらに、レブ・ゲダリヤとレヴィは夫に去られたあらゆる女たちを婚姻の束縛から解放した——そこで彼女たちはさっさと新たな夫を見つけた。レブ・ゲダリヤの計算では、雄羊の角笛がエルルの月〔西暦の八月～九月〕の半ばにメシアの到来を告げ、〈新年祭〉の三日前に雲が一つ降りてきて、信心深い人々はそれに乗り込み、〈イスラエルの地〉へと運ばれるのだった。毎日、午後と夕べの祈りのあいだに、レブ・ゲダリヤは、今まさに起きようとしている奇跡について語った。神を畏れるあらゆる男は一万人の異教徒の奴隷を所有し、足を洗わせ、身のまわりの世話をさせることになろう。公妃や王女たちがユダヤの子供たちの乳母や家庭教師として仕え、〈イザヤ書〉で予告されていたとおりになるだろう。日に三度、ユダヤ人はワシのように空を飛んで主の山へ行き、そこで聖なる神殿の前に頭を垂れ、ひれ伏すことになろう。苦しむ者たちは癒され、醜い者たちは美しくされるだろう。あらゆる人々が黄金の皿で食べ、ぶどう酒だけを飲むであろう。イスラエルの娘たちは香油の流れで沐浴し、彼女らの体のかぐわしい香りが世を満たすだろう。イスラエルの息子たちは鎧兜に身を固め、腿に剣を帯び、弓矢を備え、イスラエルの敵たちの残りの者を攻めたてるであろう。貴族のなかでイスラエルの子らに親切であった者たちは容赦され、妻子ともども命を救われるだろう。彼らは正しき者らの僕となるであろう。

　エルルの月が近づくにつれ、ゴライの人々の信仰はさらに強まった。商店主はもはや店を営まず、職人は仕事を中断した。何かを仕上げることは無益に思えた。今や人々は準備の必要のない食べ物だけを食べ、簡単に手に入るものしか食べなかった。あまりに怠惰になって森で薪を集めることもしなかったので、手元にある木材でかまどを熱くする癖がついた。冬までにはエルサレムに落ち着いていることだろう。それで彼らは柵や屋外便所を壊して焚きつけにした。屋根から屋根板をはぎ取る者たちさえいた。多くの者は夜寝るときに服を脱ごうとしなかった。待望の雲が寝ているときに来るかもしれず、あわてて服を着るはめにおちいりたくなかったからだ。レブ・ゴデル・ハシドの家では書物は火事のあとのようにシーツで包んであり、それらの書物の持ち主は日に三度外へ出て東の方に目をやり、何か雲の兆しはないかと探した。彼は目を覆い、あたかも強すぎる光から目を守るようにして、叫ぶのだった。

「天の父よ、我々を今お救いください。これ以上待つ力がありません」

夜遅くにレブ・ゲダリヤはよくレヘレの部屋を訪ねた。彼女は天蓋付きのベッドに横になっていて、眠っているのだった。女預言者となって以来、レヘレはほとんどまったく食べるのをやめてしまっていた。もはや用を足すこともなかった。体は白くなり、なかば透明で、真珠貝みたいであり、彼女は自分が青葉の香りを発散しているような気がした。夜ごとに天使たちが夢のなかで彼女を訪れ、ラビ・シメオン・ベン・ヨハイ〔〈ゾーハル〉の著者とされる人物〕と預言者エリヤが来て、天使たちと預言者たちが彼女とともに夜明けまで学ぶのだった。朝に目覚めるとたびたび、〈ゾーハル〉の数節とその校訂個所を丸ごとそらで朗唱できるのだった。しばしばレブ・ゲダリヤにタルグム〔旧約聖書のアラム語訳〕のアラム語で話しかけた。彼女が読むと、ページがひとりでにめくれた。ときおり片手を伸ばして何か物を取ろうとすると、それが彼女の指の方へ飛んできて、まるで魔術で引き寄せられたかのようだった。彼女の体は暗がりで宝石のように光り、肌はきらめきを放った。天蓋付きのベッドに横たわり、頭には絹のスカーフをつけ、枕を三つ重ねた上に頭を載せ、片方の目を半びらきにして、鼻は白く、呼吸はあまりにかすかで聞こえなかった。レブ・ゲダリヤはよく裸で入ってきたが、体には毛皮の外套のように体毛がびっしり生え、スカルキャップだけをかぶり、左手にろうそくを一本持っていた。彼はレヘレの体を覆っている白い絹のガウンを持ち上げて彼女の足に口づけし、目を覚まさせるのだった。

「レヘレ、真夜中だ。天空が分かれつつある。〈聖なる両親〉が差し向かいで契りを交わしている。レヘレ、元気を出しなさい。これは結合の時間だ」

第8章 金色の上着とマジパンのキャンディ

エルルの月となった。毎朝、おおぜいの女たちが墓地に押しかけ、死者たちに別れを告げた。死者は生者ほどすぐには聖地に到着しないだろうからだ。メシアが来ると、死者は地下の洞窟を通って〈イスラエルの地〉へと進むことになるだろう。いく日も女たちは墓にひれ伏して、泣き叫び、嘆き悲しんで、見捨てていく許しを死者に請い、復活の日は近いと説明して、生きている親族と隣人たちのために来世で執りなしてくれるようたのんだ。裕福な者たちは愛する者の墓の長さに合わせてろうそくの芯を切って、学びの家のろうそくを作った。

貧しい者たちは泣くことしかできなかったが、彼らの涙で墓を濡らした。子供たちまでが連れてこられ、墓石のあいだで遊んだ。まるで生者と死者がいっしょに墓地で暮らしているかのようで、近くにテントを張っていたジプシーたちはその光景に驚いた。キリスト教徒について言えば、彼らはうれしがって、ユダヤ人が捨てていくものを全部引き継ぐつもりでいた。学びの家では雄羊の角笛が鳴り響き、レブ・ゴデル・ハシドはひと吹きごとに身震いし、吹き鳴らされるたびにメシアの到来を告げるものかもしれないと思った。気が気でないあまり家にじっとしていられず、彼は落ち着きなく外を行ったり来たりした。数日間、一つの雲がゴライの東の空に浮かんでいた。晩には、それは長く伸びて、巨大な魚の形になった。朝には輝いて、燃えるような赤色となり、午後になると銀の帆を張った船のように見え、どんどん近づいてきた。レブ・ゴデルと・派のほかの者たちは、これは聖書で言及されている雲の柱であると確信した。しかし彼らはこのことを仲間内だけで声をひそめて語り、人々が騒ぎ立てないようにした。女たちは信心深く頭を横に振り、空のその部分から目をそらすことができないでいた。だれもがそういう場合には沈黙が最善であると感じているようだった。

　しかし日々が来ては去り、そしていまだに奇跡は起こらなかった。〈大祭日〉〔ティシュレイの月（西暦の九月～十月）の始めに祝う〈新年祭〉と〈贖罪の日〉、また〈新年祭〉に始まり〈贖罪の日〉に終わる十日間を指す〕がさらに近づいてくるにつれ、ゴライはますます静まり返っていった。まるで町の住民が一人、また一人と町を見捨てて出て行ったか、あるいは身を隠してしまったかのようだった。家々のカーテンは閉ざされていた。あちこちで雨戸に閂がかけられていた。店は閉めてあるか子供が店番をしていた。市場は人けがなかった。市の立つ広場の砂は砂漠のように熱く、円形の広場のへりには刺草が生えた。町全体が息を凝らしているかのようだった。人々は出会うと、ささやき声で会話し、互いの視線を避けた。日食のように光が陰ったこのときに、彼らは目がくらんだみたいだった。

〈大祭日〉の前夜まで、二日を残すのみとなり、どう計算しても角笛の偉大なひと吹きが聞こえるはずの日となった。しかし太陽が沈み――そして何ごとも起こらなかった。それにまたゴライの人々は祭日の支度もしていなかった。子供も大人も裸足で、ぼろをまとっていた。祭日のパンを焼くための小麦がまったくなかった。魚も蜂蜜もなかった。これはどういうことなのかレブ・ゲダリヤに説明してもらおうとしたが、彼は霊的交わりを持つために山中に行ってしまったとわかった。レヘレはどうかというと、彼女は数日のあいだ昏睡状態で、チンケレが彼女との面会をだれにも許そうとしなかった。どたん場になって、使い走りの者たちが周辺の村々に送り出され、もっとも必要な品々を買いに行った。しかし彼らはまだ戻ってこなかった。ペンキも塗っていない家々は身を寄せ合うように立っていたが、屋根は引きはがされ、家の内部が見えた。ほこりまみれの屋根裏部屋はクモの巣とがらくただらけだった。その夏、ゴライの人々は自分たちの一番大切な持ち物を壊してしまっていた。床をはぎ取り、タンスや棚をばらばらにしたのだ。レブ・ゴデル・ハシドの家では壁の角材を金曜日にかまどですでに燃してしまった。祭日用の服はすべて汚れ、破れていたが、それは女たちが週日に着ていたからだった。

これまでに一度たりともこの年ほどの嘆き悲しみが〈悔い改めの祈り〉で聞かれたことはなかった。〈聖別の祈り〉が始まるや否や先唱者は床に倒れ、まるで足がくずおれたみたいだった。「見よ、わたしはヤコブの天幕の捕囚を戻し」(「エレミヤ書」第三十章十八節。口語聖書では「見よ、わたしはヤコブの天幕を再び栄えさせ」)という言葉で、会衆はいっせいに悲嘆の声を上げた。一人の老人は両のこぶしで頭を打ち、叫んだ。「天の父よ、あなたは十分に我々を試された！　今やあなたのお力をお示しください！」

〈新年祭〉の前夜はひんやりとして、じめじめしていた。空は、夏のあいだはずっとトーラーの聖櫃の幕のように青く、いつもよりいくらか広く、高かったのだが、狭くなっていた。今や町は黒いキャンバス地のテントに封じ込められたようだった。山々は、かつては青々として聖地を思い起こさせたが、姿を消し、地のおもてから拭い去られた。煙は煙突をなかなか立ち去ろうとせず、家々の上に広がって、まるで空間が縮んだかのようだった。

日没を迎えるまで、信心深い者たちは奇跡が起こる希望を捨てなかった。奇跡というものは、彼らは承知していたが、いつも不意に起きるのであり、人々がよそを向いているときに起こるのだ。おそらくまさに日没の一瞬前に雲が現れて、みなを聖地に運び去るのだろう。そんなふうになるだろうという胸騒ぎを感じた者たちさえいた。レブ・ゴデル・ハシドは揺るがなかった。神は、と彼は論じた、ゴライの人々を試しているのであり、人々がほんとうに心を尽くして神を信じているかどうかを見ようとしておられるのである。彼は頑迷なあまり、家の者が食べ物の準備をしているのを見て腹を立てたほどだった。彼はかまどの火を消した。そのくらい確信して、夕食は〈イスラエルの地〉で食べることになると信じきっていた。暗くなり、星が雲の合間からのぞいているのが見えるようになってやっと、流浪は〈大祭日〉のあいだ続くだろうことがゴライの人々に明らかとなった。女たちは目を伏せ、体をこわばらせて、明かりのない家で坐っていた。乱れた身なりの男たちが祈りの家に急いだが、体を浄めぬままで、あごひげはぼさぼさだった。あまりに恥ずかしくて互いに語り合うこともできず、彼らはただちにだいぶ遅れた午後の祈りを始めた。

レブ・ゲダリヤが二、三時間前に山から戻ってきていた。彼は聖書台の前に立って夕べの祈りを読み上げ、大きな涙声で歌い、祈禱用ショールと白い衣で完全に身を包んでいた。女たちがうめき声を上げるたびに会衆は身震いし、嵐のなかで揺れる木々さながらだった。彼は死者を悼んでいるかのように嘆き悲しんだ。祈りが終わると、礼拝に来た者たちは急いで立ち去り、新年おめでとうと言い交すこともなかった。町にろうそくは一本もなく、そのためゴライの人々はその夜は闇のなかで坐っていたり、焚きつけの切れ端を燃やしたりした。祭日のご馳走には肉と去年のインゲンマメ以外に何もなかったが、彼らは肉にはうんざりしていた。幸運にもパンを一つ持っていた者は、それを薄く切って、親類に送って分け合った。

子供たちはひどく泣き、だまされたと言ってごねた……。エルサレムに行きたい……。小さな金色の上着を着たい……。羽がほしい、そうしたら空を飛んでいけるから……。マジパン〈挽いたアーモンドと砂糖を練り合わせた砂糖菓子〉のキャンディとスープに入った金貨がほしい、約束だったじゃないか……。父親たちは落胆した様子で食べ物をいじり、単に宗教上の義務を果たすためにだけ食べて、〈新年祭〉に断食していると見えないようにした。彼らは〈大祭日〉の讃歌をしわがれた震え声で歌って、そそくさとかまどの裏側に寝にいき、押し黙って、いらついていた。母親たちは乳飲み子に乳を与えておとなしくさせ、小児用寝台やベッドのとなりで遅くまで起きていて、眠そうに物語を聞かせ、幼い者たちが問いかけないようにしていた。〈大祭日〉だったけれども、義母と嫁、母と娘、兄弟姉妹のあいだの無言の反目は続き、相変わらず激しいものだった。ゴライの人々は服を着たまま眠り、口をあけ、心はうつろで、ユダヤ人が翌日を生き延びられる確信がまるでない迫害の時代のようだった。

〈新年祭〉の第一日目と第二日目の両日、レブ・ゲダリヤは雄羊の角笛が吹き鳴らされる前に説教をした。顔は燃え殻のように赤く、目は爛々とし、彼が話すひと言ひと言が会衆を元気づけた。彼はこの台無しになった祭日は神が彼の民に課している最後の試みだと論じた。レブ・ゲダリヤは現在を夜明け前の時間に譬えて、太陽がまばゆいばかりに輝き出るために空はこれ以上ないほど暗くならねばならないのだと述べた。彼は会衆の全員に呼びかけて、かたく信仰を守れと求め、偉大なる日々を目前にして絶望してはならないと語った。彼は力強く誓って、サバタイ・ツェヴィはまことの〈ヤコブの神のメシア〉であると証言した。ユダヤ人たちに命じて、悲しみを捨て、信頼と喜びで身を固めよと言った。彼が言うには、〈族長たちの四人の妻〉〔アブラハムの妻サラ、イサクの妻リベカ、ヤコブの妻ラケルとレア〕が夜にレヘレを訪れて彼女を慰め、サタンが信仰の揺らぐ者たちを天上で厳しく告発したと知らせた。その結果、日々の終わりが延期され、神の怒りが静まるまで待つことになったのだった。会衆が解散する前に、レブ・ゲダリヤは礼拝に来た一人一人に両手で祝福を与えた。子供たちを抱き上げて頭に口づけし、会衆が立ち去るときに呼びかけた。

「家に帰り、喜びなさい。我々はみな、まもなく〈イスラエルの地〉にいることになろう、すみやかに、そして我らの時代に。男たちはみな、各々のぶどうの木の下に坐り、各々のイチジクの木の下で憩うであろう」

投棄の儀式〔新年に海岸や川のそばで「ミカ書」第七章一八‐二〇節を唱えて罪を海や川に投げ込む儀式。タシュリーフ〕をおこなうため、町のみなが男も女も祭日のぼろ着をまとい、列をなして歩き、町の外の川を目指した。レヘレは具合が良くなかったので、金色に塗った椅子で運ばれ、町のもっとも重要な人々がつき添った。彼女の様子はまるで（ありえない譬え！）キリスト教徒が教会の行列で祝祭のときに運ぶ聖像の一つのように見えた……。若い女たちが橋の上に立ってポケットやスカーフを振り浄め、流れる水のなかに投げ込む罪をそれとなく口にした。習慣どおりに、ゴライの若年の者たちが楽しげに年配の女や、男をさえからかった。彼らはレヴィの妻ネヘレをひやかし、互いに耳打ちして川があの人の罪であふれるだろうよとささやいた。町に戻ると、がさつな若者たちは女たちの尻をピンで刺そうとしたり、みだらなことを言ったりした。レブ・ゴデル・ハシドは怒ってどなり、神聖冒瀆だと言って彼らを叱責した。しかしレブ・ゲダリヤは片手を振ってそれを受け流し、人々の気分を浮き立たせるのは別に悪いことではないと示した……。それにもかかわらず、夕暮れになると町はあまりに静まり返ったので、みんな死んでしまったのかと思われるほどだった。大気は青くなり、古い本のページみたいで、家々はくすみ、なかば廃墟であり、一六四八年のようだった。娘たちが運ぶ水桶は死者を洗う浄めの儀式を思わせ、火事のあとのように何もかも焦げくさい、鼻を突くにおいがした。眠たげに、男たちは詩篇を学びの家で朗唱し、あたかも瀕死の病人を哀れみたまえと祈願しているかのようだった。女たちは自分たちの家の戸口の前に集まった。彼女たちは押し殺した声でしゃべり、そうしながらまわりを見まわして、よその者が立ち聞きしているのではないかと心配した。子供たちに上着から最後の飾りを引き抜かせたが、ただ彼女ら――母親たち――がしばらく煩わされないようにというためだった。一人の女がふと、家を修理してこのことは忘れるべきじゃないの、と口に出した。メシアはゴライに来ないんだわ。しかしほかの女たちが彼女を叱った。彼女を脅し、黙りなさいと警告した。あんたは何さまのつもりなの、つまらない家の出でしょ、と注意した。女たちは頭を振って、唾を吐いた。信心深げに鼻をかみ、全能者に嘆願した。

「御心でありますように、おお、天の父よ、この聖日が損なわれることのなきよう！　私たちがすぐに喜びのまことの理由を持てますように――こんな辱めのあとなのですから！」

第9章　悪魔が勝利する

〈仮庵の祭〉〔新年の十五日から八日間続く〕の第一日目に、豪雨がゴライを襲い、土砂降りの雨が三日三晩絶え間なく降った。川があふれ、水車の堰を打ち壊して堤防が崩れた。低地に住む人々は救助してもらわねばならなかった。多くの家庭で女たちが水につかりながら歩き、服をからげて、鍋やバケツで水をくみ出したが、再び流れ込むのだった。氷のような風が屋根から最後の屋根板をはぎ取り、柵を打ち倒した。窓はぼろきれで覆われ、隙間は建材用のフェルトで埋められた。木はほとんど手に入らなかった。子供たちが咳をし始め、鼻を赤くし、涙目になった。耳は、夏の太陽で治っていたのだが、耳垂れが新たに出始めた。かさかさになっていたできものがまた大きくなった。胃は肉の食べ過ぎで痛み、嘔吐と下痢が多く見られた。母親たちは学びの家に駆けつけて、神の助けを嘆願し、あらゆるろうそく立てにろうそくを灯した。男子生徒がいくつか組になって学びの家へ行き、詩篇を唱えた。それにもかかわらず、どの家でも次々と幼児が病気になり、咳をして、やがて発作に襲われ、顔が青くなった。〈寺男のヨエル〉が再び黒い籠を持って巡回した。埋葬しなければならない子供たちがあまりに多かったので、彼は赤ん坊をリネンにくるんで自分の外套の深いポケットに押し込んだ。嵐がおさまると、カラスが群れをなして姿を現し、低く、うねった飛び方をして、しわがれた声で鳴き、あたかも亡骸をあさっているかのようだった。沼地は油のように黄色く、渦巻く蒸気が、まるで地下で火が燃えているように立ちのぼった。それはソドムとゴモラを思わせたが、そこでは煙がかまどから上がるように立ちのぼったのだった〔「創世記」第十九章二十八節〕……

ゴライで最年長の者たちも、このような〈仮庵の祭〉を思い出せなかったし、そのようなものを彼らの先輩たちからも聞いたことがなかった。祭日の週の三日目の朝には不意に夜のように暗くなり、だれもがただちに最悪の事態を覚悟し始めたが、それは世界がまさに終わりを迎えようとしているかに思われたからだった。ホシャナ・ラバ〔〈仮庵の祭〉の第七日〕の前日には雹をともなう嵐があった。氷のかたまりが降ってきて、ガチョウの卵ほども大きく、牧草地にいた多くの動物がけがをして、羊飼いたちも負傷した。そのあとには、雷鳴と稲妻が始まったが、そんなことは一年のこの時期にはめったにないことだった。目のくらむようならせん状の火が縫うように学びの家に入り、まるでボールみたいにテーブルの上を転がって渦を巻き、あいていたかまどの扉のなかに入って、あまりにすさまじい音を立てて煙突から出ていったので、多くの人たちは耳が聞こえなくなった。学びの家から稲妻は教会に飛んでいき、かなりの被害を引き起こした。ホシャナ・ラバの夜には恐ろしいことが起こった。水を汲みに行っていた女が悪鬼どもによって井戸に投げ込まれ、彼女は翌朝そこで頭を下に、足を上にして死んでいるのが見つかった。悪霊たちはまた、年老いた夜警にも危害を加え、彼のあごひげを半分むしり取った。

学びの家でシェミニ・アツェレト〔〈仮庵の祭〉の第八日目〕の祈りをしているただなかに、まったく思いもよらないけんかが勃発し、そんなことはゴライでは前例がなかった。あとでは、だれもそれがどんなふうに始まったのか正確にはわからなかった。ある人々が述べるには、レブ・ゲダリヤの敵の一人が彼の顔を殴ったのだった。「あっちの者たち」が関与したのだと主張する人々もいて、それというのも見知らぬ男が一人、会衆のなかに姿を見せていたが、あとでこっそり出ていったと言われたからだ。原因がなんであれ、いきなり大声と苦痛の叫びが上がって、盗賊の襲撃のときのようで、流血をともなう激しいけんかがあとに続いた。サバタイ・ツェヴィ一派は人殺しも辞さない勢いで敵対者に飛びかかり、殴ったり、踏みつけたり、相手の服や祈禱用ショールをめちゃくちゃにした。女たちでさえ、悪魔に動かされたかのように情け容赦なく互いに襲いかかり、ボンネットを引きむしり、ショールや上着を裂き、獰猛に爪を肉に食い込ませ、祈りの家は彼女たちのわめき声でいっぱいになった。両派を引き離し、落ち着かせるには、レブ・ゲダリヤとほかの少数の良識ある人々が長いあいだ大変な努力をしなければならなかったが、それというのも老人たちでさえその戦いに巻き込まれていたからだった。レブ・ゴデル・ハシドは全身が一つの大きな打撲傷となっていた。混乱のなかで、子供や病人までもが負傷した。そしてこの事件がさほど常軌を逸したものでなかったと言わんばかりに、翌朝、〈律法の喜び〉〔〈仮庵の祭〉の最終日に行なわれる祭〕で、のらくら者の一団が寄り集まって、手始めに居酒屋を占拠し、盗賊みたいに、火酒を一樽飲みつくした。それから彼らは家から家へと行きめぐって、歌い、ガチョウをひっつかみ、脂身の詰まった鍋や砂糖煮、そして飲める物ならなんでも見つけしだいにかっさらった。彼らはレブ・ゲダリヤをも容赦しなかった。彼の家も急襲したが、彼らにはしたたか過ぎる相手だった。彼は出てきて彼らを迎え、戸棚や食品庫をあけて、ほしいだけなんでも取りたまえと命じ、こういう日に楽しむのは適切なことだからと言った。こうして彼は彼らに気に入られ、彼らは彼に敬意を払い、彼を「ラビ」と呼んだ。それから彼らは酔っぱらって出ていき、一般大衆が暮らす裏通りへ行って、ほかのやり方で祭日の神聖さを穢した。

そのとき以降、一日たりとも事件や災いなしに過ぎることはなかった。ヘシュバンの月〔西暦の十月〜十一月〕の終わりの真夜中に、大地がごうごうと鳴り響き、家々が揺れた。だれもがおびえて通りに走り出て、服も身に着けていなかった。物音は止まったけれども、人々は何時間も戸外にいて、家に戻るのを怖がった。このため数人が風邪を引き、肺炎を起こした。二、三日して、祈りの家の壁に欠陥が見つかり、亀裂が屋根から基礎まで延びているとわかり、そこで礼拝するのはあぶない、壁が崩れるかもしれない、といううわさが広まった。

これが町では新たな騒動となった。

キスレヴの月〔西暦の十一月〜十二月〕の第十五日、朝の祈りのさいちゅうに、学びの家の戸が突然ひらき、二人の思いがけない来訪者が姿を現した。使節のレブ・モルデカイ・ヨセフとレブ・イチェ・マテスだった。彼らの惨めな様子はあらゆる人々に苦悩をもたらした。レブ・モルデカイ・ヨセフの足はぼろきれで巻いてあり、腰はずだ袋で覆い、上着の折り返しの一方は裂けていて、あたかも喪に服しているかのようだった。レブ・イチェ・マテスは裸足で、体は頭から足まで泥にまみれ、顔は鍋みたいに黒かった。ゴライの人々はすっかりあっけにとられた。あまりに驚いたので、口をあけることもできなかった。話す力を失ったかのようだった。とうとう、礼拝していた人々のいく人かが、この新来の者たちに挨拶の言葉をかけた。しかしレブ・モルデカイ・ヨセフとレブ・イチェ・マテスは答えず、押し黙ったままで、会衆全員がまわりに集まってくるまで無言だった。そうなってようやく、レブ・モルデカイ・ヨセフが松葉杖で床をどんどんと叩き、左のこぶしで胸を打って、絶叫した。「おお、ユダヤ人たち、衣を裂け！　灰を頭にかぶれ！　大いなる厄災が我々を襲った！　なんたる苦難！」

彼は壁に倒れかかり、喘いで、とうとう口から泡が流れ始めた。みなが彼からあとずさりした。それからレブ・モルデカイ・ヨセフはすっくと立ちあがって、再び話しだした。「やつはトルコ人になった！　背教者め！　災いなるかな、生きてこれを目にするとは！　ああ、悲しや！」

「だれのことだ、レブ・モルデカイ・ヨセフ？」と多くの声が、不安な胸騒ぎに駆られて、彼に懇願した。

「あの下劣な嘘つきだ！」とレブ・モルデカイ・ヨセフは絶叫した。「あの誘惑者で扇動者のサバタイ・ツェヴィだ、そしてやつの売女サラだ！　やつらが消し去られますように！　やつらが投石器のくぼみから投げ飛ばされますように！　呪いの章（「レビ記」「申命記」の呪いを列挙した章のこと）にあるあらゆる呪いがやつらの頭に降りかかり、エジプトの地を苦しめたあらゆる悪疫がやつらの体を苦しめますように！」

レブ・イチェ・マテスは床に坐って顔を隠した。彼のカフタンは穴だらけで、腫れあがった足は泥まみれだった。大粒の黄色い涙が彼のあごひげをしたたり落ち、彼は前後に揺れて、亡骸に哀歌を唱えているかのようだった。レブ・モルデカイ・ヨセフの目は赤く腫れ、濃い眉毛は針のようで、火のようなあごひげが逆立ち、聖櫃の上の木造部分に彫ってある怒りに満ちた獅子の一頭に似ていた。彼は咳をして、長々と唾を吐き、毛深い両手をばたつかせ、発作的にむせび泣いて、追悼演説のときのようだった。

「やつはトルコ帽をかぶった、あの気違い犬め！　偶像を拝んでいる！　非常に多くの者が群れなしてやつといっしょに改宗した！　不浄の者どもに災いあれ！　我々みなにとって恥辱であり面よごしだ！」

会衆はみな、重荷を背負ったように肩を落とした。まさに一六四八年のあの日の様子そのままで、そのときは使者たちが不吉な知らせを伝え、コサックとタタール人がゴライを包囲していると伝えたのだった。よく失神するある若者が顔面蒼白となり、そばにいた者たちが彼の両腕をつかまえて、床に倒れ込まないようにしなければならなかった。子供たちでさえその場で凍りついた。動く力もなく、彼らはみなその場に立ち尽くし、足はおののき、口をあけていた。そのとき不意に戸が荒々しくひらき、レブ・ゲダリヤが学びの家に駆けこんできた。彼はどうやらすべてを聞いたようで、まさに敷居の上で、怒りに満ちたあざけりの叫びを上げた。

「どうしたというのだ、レブ・モルデカイ・ヨセフ？　なぜ産気づいた女のように泣くのだ？」

「おまえはまだ生きていたのか！」とレブ・モルデカイ・ヨセフが跳ね起きて、彼と向き合った。「悪魔め！」

「彼を縛れ！　狂っているぞ！」

「おお、汝、イスラエルの神に対して罪を犯す者！　この姦夫め！」レブ・モルデカイ・ヨセフがわめいた。「サバタイ・ブタめは偶像の前にひざまずいている――そしてこの男は夫のある女と寝ている！」

「ユダヤ人たちよ、彼は神聖冒瀆をしている！」レブ・ゲダリヤがレブ・モルデカイ・ヨセフに飛びかかり、平手打ちの音がした。「彼は〈万軍の主のメシア〉を罵っている！」

レブ・モルデカイ・ヨセフは前方に突進したが、つかまれて引き戻された。毛むくじゃらの彼の赤い鼻から血が流れだした。

「おお！」と彼は泣き叫んだ。「姦淫と流血！」

「ユダヤ人たちよ、彼は偽りを言っている！」レブ・ゲダリヤが会衆の方に向き直った。「この犬めは偽りと欺きを吠え立てる。サバタイ・ツェヴィではなく、サバタイ・ツェヴィの影が改宗したのだ。明白な一節が〈ゾーハル〉にある！　メシアは天に昇られたのだ！すぐに降りてきて、我らを救ってくださるであろう。ここにそれを証明する手紙がある！聖なる人々すべてが寄こしたものだ！」

そして彼は胸元から手紙と回状の包みを引き出した。

レブ・モルデカイ・ヨセフは彼を押さえていた人々の手を振りほどいて、松葉杖を宙に放り投げ、両腕を広げて猛獣のようにレブ・ゲダリヤに向かって突進した。しかしそれから彼は地べたに倒れ、そこで地面にはいつくばって涙を流した。

「ユダヤ人たちよ、助けてくれ！　悪魔が勝利する！　おお……！」

ユダヤ人がいたるところで二派に分裂した。サバタイ・ツェヴィの一派と、その〈反対者たち〉である。論争が一気に燃え上がった。どこの定期市でも二派が破門し合い、雄羊の角笛と浄めの板、そして黒いろうそくという三重の儀式で互いを除名した。ラビたちが共同体から靴下しか履かせてもらえずに追い出されたり、去勢牛が引く荷車に乗せられたりした。威厳ある男たちが人前で打ちすえられて、辱められた。無数の特使が旅してまわり、手紙を運んだが、真正のものも怪しげなものもどちらもあった。巡回預言者と説教師たちはそれぞれ自分流の真理を述べた。両派の熱狂者たちは不当な行為まで犯した。ルブリンでは祈りの家で殴り合いが起き、ポーランド人の兵士たちが当事者を引き離さねばならなかった。ルドミルでは屠畜人たちがある学校の教師を鞭打ったが、それは教師が人々に、テベットの月の第十日の断食日には何も食べてはならないと言ったからだった。フルヴィシェフではほんの数人がサバタイ・ツェヴィを信じ続けていたが、みなはまるで蛇蝎（だかつ）のごとく彼らを避け、彼らの戸口をピッチで塗って、何びとも彼らの家の敷居をまたいではならないことを示した。さらに、町の人々は〈信奉者たち〉がまことの信仰に立ち戻るまでは、彼らに食べ物を売ってはならないとした。悔い改めた少数の信者は厳しい扱いを受けた——彼らはぼろをまとうように言われ、頭に灰をかぶって、祈りの家の控えの間の床に横たわり、胸を叩くように命じられて、そうしながら大きな声でみずからの罪を告白しなければならなかった。学びの家に入る者、出ていく者はみな、彼らを跨がねばならなかった。礼拝に来た者のなかにはさらに彼らの顔に唾を吐く者たちもいた。

信望の厚い、さるポーランドの人々が仲裁の役割を果たそうとしたが、彼らもたちまち論争に巻き込まれ、さらにいっそう煽り立てる結果に終わった。ユダヤ人のなかの優れた人々はユダヤ教を捨てる者が広く一般に出るのではないかと心配し、アナンとカライ派〔アナン・ベン・ダヴィドが創始者の、八世紀に起こったユダヤ教の一派。タルムードの伝承を拒否した〕の時代のようになることを恐れた。あらゆるユダヤ人居住地で、いくつかの家族全員が洗礼を受けつつあると伝えられた。エルサレムやアルトナ、ヴィルナといった大きな共同体の〈信奉者たち〉のなかには自殺した者たちもいた。

〈信奉者たち〉そのものが二つの集団に別れた。

一方の集団は、メシアが現れるのはその時代が完全に徳の高いものとなってからだと主張した。そういう人々は悔い改めの断食をして、妻との交わりを避けた。彼らはサバタイ・ツェヴィの名を日々百回も口にして、S〔サバタイのS〕とZ〔ツェヴィのZ〕の文字をメズーザーや窓に刻み、ベッドの頭板や、自分たちの体にさえ刻みつけた。彼らは、サバタイ・ツェヴィが、生身の人間ではあるが、〈流出の世界〉へ移ったのだと確信し、スタンブールに住んでイシマエル族の妻を娶った背教者は悪鬼のアシュモダイだと信じた。

もう一方の集団が論じるところでは、メシアは姿を現す前に〈地下の領域〉に入っていかねばならず、そこから聖性の火花を引き出さねばならないのだった。〈ゾーハル〉の補遺にこの趣旨のことを明白に述べた本文がある——すなわち、トヴ・ミルガヴ・ウビシュ（外側は悪、内側は有徳）。さらに、預言者イザヤがこう予告していた。「そして彼は罪びとたちとともに数えられるであろう」〔「イザヤ書」第五十三章十二節「とがある者と共に数えられたからである」（口語聖書）〕この解釈を支持する者たちによれば、救済の前の世代は完全に有罪とならねばならなかった。その結果、彼らはいかなる苦労も惜しまず可能な限りの掟違反を犯した。ひそかに不義密通を重ね、豚の肉やほかの不浄なる食べ物を食し、安息日にもっとも避けるべきこととしてはっきり禁じられている労働をおこなった。シェブレシンでは、一人のそうした信者があごひげと脇髪をカミソリでそり落とした〔敬虔なユダヤ教徒の男性はあごひげと脇髪を伸ばす〕。真夜中に、また別の者がクラスニクの祈りの家に押し入り、トーラーの巻き物から神の名を消して巻き物をだめにした。書記たちが、聖書の数節を収めてある聖句箱に汚物を入れた。別の者たちは沐浴場を穢し、そのため女たちが適切に身を浄めることができず、夫たちは不浄な状態の妻たちと寝なければならなかった。さらに別の者たちは、遺体の四肢を祭司の子孫である人々の家に投げ込み、その結果、その人々が穢れを受けた〔祭司が死体に触れることは禁じられている〕。家から家へと行きめぐり、鍋にこっそりラード〔ユダヤ教の規定が食べることを禁じている豚の脂肪から精製した油〕を入れてまわった者もいて、こうやってそれらの鍋で調理された食べ物を汚染した。クレシェフの屠畜人は、屠畜した動物を不適法とするために、ナイフの刃こぼれを直さぬままにした〔屠畜は刃の欠けていない刃物で行うよう定められている〕。その上、新生児の割礼をするとき、彼は冠状部の皮膜を取り除かないことによって、実際に割礼を阻んだ。こうしたことがが発覚した夜、町の人々は報復しようと屠畜人の家を取り囲んだ。しかし彼はこっそり逃げ出し、最後にどうなったのかは不明だった。〈信奉者たち〉のほかの者たちは紛争と讒言(ざんげん)をまき散らした。夫には妻についてのうわさ話を広め、妻には夫についてのうわさ話を広めた。こうしてしょっちゅう暴力沙汰を招いた。

彼らは金曜日の夜に熾してある火を消して、信心深い人々に安息日を冒瀆せざるをえなくした〔点火は労働とみなされ安息日には禁じられている〕。結婚している女についての不貞のうわさを流し、そのせいでしばしば離婚が起きた。恥とも思わずに彼らは慈善金の箱の中身を空にして、自分たちの偶像に捧げるためのぶどう酒を買った。堕落へ向かう衝動に導かれて、黒魔術や死者を呪文で呼び出すことまでした。

世界から遠く離れ、貧窮し、丸裸の状態だったけれども、ゴライはこの論争がサバタイ・ツェヴィの改宗をもって終わりはしないと気づき、むしろ日々勢いを増すとわかった。

レブ・モルデカイ・ヨセフ、レブ・ゴデル・ハシドとほかの多くの者が〈信奉者たち〉から抜け、偽りの救済者の誘惑に屈したことの贖罪をした。レブ・ゴデル・ハシドはぼろをまとい、毎日午後に体を鞭打って、苦痛によって罪を浄めようとした。終日日暮れまで断食して、それからほんの少しばかりパンとニンニクを食べた。レブ・モルデカイ・ヨセフは家から家へとめぐり歩いて、〈信奉者たち〉への反対運動をあおった。彼は〈信奉者たち〉の行く先々についてまわる荒涼たるありさまを説明して、彼らの悪事を長々と語り、加わってはならないと家長たちに警告した。〈信奉者たち〉のなかでレヘレについてだけは、レブ・モルデカイ・ヨセフは悪く言おうとしなかった。レブ・イチェ・マテスは義父の家の二階の一室に閉じこもり、自分の巻き物を記していた。彼は礼拝の定足数の人々といっしょに祈らず、めったに外に出なかった。彼は人から物を受け取ろうとしなかったので、どうやって命をつないでいるのかだれにもわからなかった。〈創造の書〉の呪文で鳩を作り出して食べているのだとうわさされた。

レブ・ゲダリヤとレヴィは相変わらず町の指導者だった。彼らはレブ・モルデカイ・ヨセフと彼の支持者たちを破門し、みなに命じて、彼らからは四エル〔エルは昔の尺度の単位で、ニコラス・デ・ラーンジュ『ユダヤ教入門』（柄谷凜訳）の訳注によれば一エルは約一・一四メートル〕の距離をとるようにと命令した。レブ・ゲダリヤとレヴィは多くの本を学びの家から取り除き、燃やしたり埋めたりした。残ったのはカバラーの奥義についての書物ばかりだった。それから彼らはごろつきどもをそそのかし、沐浴場の裏でレブ・モルデカイ・ヨセフが用を足しに出てくるのを待ち伏せさせた。彼らは彼に襲いかかり、足で踏みつけ汚物のなかを転がして、情け容赦なく打ち据え、彼が死んだと思った。何時間もたってようやく沐浴場の世話係がレブ・モルデカイ・ヨセフを発見したが、服は血まみれで、両目に黒あざができていた。二、三日後にまさしくこの同じ連中が、レブ・イチェ・マテスに無理やり妻のレヘレとの離婚を承諾させた――また彼らは、ゴライの川に名前が二つあることなどおかまいなしで、しきりではいかなる離縁状もこの町では書けないことを気にも留めなかった。レブ・ゲダリヤについて言えば、彼は掟に定められた九十日を待たなかった。まさに翌朝、彼はレヘレと結婚式の天蓋の下に立ち、こうしてタルムードに対する侮蔑を公然と表明した。

そのとき以降、ゴライはありとあらゆる放縦にふけり、日々ますます堕落していった。あらゆる掟違反を自己浄化と霊的向上の階梯の一つの段だと確信して、ゴライの人々は四十九の〈不浄の門〉へと沈んでいった。ごくわずかの者たちだけが加わらず、離れて立ち、サタンが通りで踊るのを見ていた。

そして〈信奉者たち〉のおこないはまことに忌まわしいものだった。伝えられたところでは、一派は夜ごと秘密の会合場所につどった。ろうそくを消して、彼らは互いの妻と寝た。レブ・ゲダリヤはザモシチの一派が彼のもとに送って寄こした売春婦を家のどこかに隠しているると言われていて、妻のレヘレはそれを知らないということだった。銅製の十字架が彼の胸に下がっていて、房付きの衣の下にあり、胸ポケットには聖画が入っていた。夜にはリリスと、そのお供のナマーとマフロト〔いずれも女の悪魔〕が彼を訪れ、ともに過ごした。安息日の夜には、緋色の衣装とトルコ帽をかぶり、イスラム教徒のようになって、弟子たちを連れてゴライ近くの廃墟となった古城に出かけた。そこではサマエルが彼らの前に姿を現し、彼らはみないっしょに土の偶像の前にひれ伏した。それから彼らは手にたいまつを持ち、輪になって踊った。裏切り者のラビ・ヨセフ・デ・ラ・リーナー〔サタンの力を終わらせて救済を導こうとしたが失敗したとされるカバラーの伝説上の人物。彼の魂が黒犬の姿となっているのをイサク・ルリアが見たという話がある〕がセイル山から下りてきて、黒犬の姿で彼らに加わった。そのあと、伝説で言うように、彼らは城の地下室に入って、生きたままの動物の肉で祝宴をひらくのだった——生きた鶏を手で裂き、血とともに肉をむさぼるのである。飲み食いを終えると、父親が娘と関係を持ち、兄弟が姉妹と、息子が母親とそうなった。レヴィの妻、ネヘレは服を着ずに歩きまわり、御者と交わったが、みなの目の前でだった——そして自分の夫の目の前でもあった……

ゴライは盗賊の巣窟となり、呪わしい町となった。古くからの住人は家から出るのを怖がったが、それは子供たちも〈信奉者たち〉の仲間に加わっていて、対抗する集団に石を投げるからだった。子供たちはことさら悪意に満ちていた。彼らは古くからの住人の祈りの家での席に釘を置き、衣服が破れるようにした。祈禱用ショールの房飾りを切り、彼らのヤギをいじめた。汚水をバケツで家の煙突に流し込む少年たちさえいて、器や食べ物をよごした。〈信奉者たち〉は行政に手紙まで書いて、自分たちに反対する者を国家に対する不忠者だと告発し、彼らの商品に油をかけた。小さな子供たちに報復することさえあった。沐浴場から戻る途中のある女は裏通りで何人かのごろつきに待ち伏せされ、強姦されそうになった。彼女が悲鳴を上げ、彼らは走り去った。

神の名はいたるところで冒瀆された。村では農民たちがすでに苦情を言い、ユダヤ人がおのれの信仰に背いて、まさにジプシーや無法者のようにふるまっていると訴えた。司祭たちは大衆を扇動して、聖戦をそそのかした。彼らは予測して、すべての熱心なキリスト教徒が結集して剣と槍を手に取り、ユダヤ人を、男も女も子供も根絶やしにして、イスラエルの民を跡形もなくするだろうと推察した。(神よ、我らを救いたまえ!)

第11章 聖なる者と冒瀆する者

サバタイ・ツェヴィがトルコ帽をかぶったとレヘレが耳にして以来、聖なる天使はぱったりと彼女の前に現れなくなった。彼女は毎夜、天蓋付きのベッドに何時間も横たわって、聖なる名前を朗唱し、まぼろしを待った。ケルビムとセラフィムに呼びかけ、メタトロン(特別な地位を持つ天使の一人〉すなわち〈顔の主〉について黙想し、唇が疲れ、力尽きるまで嘆願した。しかし応答は得られなかった。つい最近は、バテシバ〔ダビデの妻の一人でソロモン王の母〕とアビガイルがよく彼女を訪れて、いっしょに神秘なことがらを学んでいた。彼女がなかば眠っていると、よく〈義の人ヨセフ〉が現れて、麗しく、まったく優美で、彼女を導き天上の邸宅を案内してくれた。彼はエデンの園とゲヘナの門、〈雪の宝庫〉〔「ヨブ記」第三十八章二十二節。口語聖書では「雪の倉」〕を彼女に示し、敬虔な人々が受け継ぐことになっている〈三百十の世界〉を見せてくれた。目が覚めると、足が痛かったものだが、天上の領域であまりにあちこちのぼったせいだった。しかし今、彼女は何も瞑想できなかった。悲しくて、彼女はチンケレが出してくれる軽食の蜂蜜ケーキに手をつけられなかったし、甘いぶどう酒やそのほかのごちそうも口にできなかった。手を洗うこともなく、食べ物に祝福を唱えることもせず、また、祈りを切望していたけれども、祈ることもなかった。彼女の体はずっと以前に温かみを失っていたけれども、断続的に汗をぐっしょりかくのだった。剃った頭に伸び始めた髪がちくちくと痛み、頬は落ちくぼんで、目を見ひらき、瞼は腫れていた。ここ数日のあいだ口蓋はたえず乾いていて、舌が妙な感じだった——舌が口をすっかりふさいでいるように思えた。まるで酸っぱいものを食べたかのように歯の浮く感じがした。足はこわばり、動かしにくかった。腹は、あたかも風でふくらんだかのごとく、ふくれていた。

はじめのうちレブ・ゲダリヤはレヘレを説き伏せて慰めようとした。彼女に説明して、梯子の高い段から落ちたけれど、登ればいいだけだと言った。言葉で力づけて、気分を引き立たせようと試みた。バイオリンを借りてきて演奏し、週日のただなかに安息日の夜の曲を彼女のために奏でた。使いの者を送って、ネックレスやブレスレットを買ってこさせ、若い女房たちを招待して、断りなしに彼女の部屋に入っていいから陽気に楽しませてやってくれと言った。レヴィをレヘレのところへ行かせることまでして、神に仕える新たなやり方をはっきりさせ、「そして私はあなたの穢れのただなかであなたと共に暮らすであろう」という一節を説明させた。しかしレヘレはレヴィをだれだかわからないような目つきで迎え、無頓着だった。魂がどこかよそにあるようだった。

レヘレは謎めいた、恐ろしい経験をした。彼女の部屋は一日に二回暖められたけれども、たえずぞっとするようなさむけがして、それは内側から発しているように彼女には思えた。しばしば心臓が生き物のように動悸を打った。何か収縮し、とぐろを巻き、身をくねらせているもの、彼女という存在の奥底に巣くう蛇のようだった。手足は弱々しく、関節ががくがくした。頭は力なく垂れさがり、上げることができなかった。夕暮れになると彼女はベッドにくずおれて、そのまま数時間のあいだ人事不省におちいった。頭蓋は砂が詰まっているようにに思え、口は大きくあいていた。いつでも同じ瞬間に、恐慌状態で目が覚め、あたかも臨終の床につき添う者たちが悲鳴を上げて彼女を生き返らせたかのようだった。のどは狭く、腫れて、ほとんど息ができなかった。凍りついた血がゆっくりと温まり、再び血管を流れ始めた。レヘレには、自分の体が実際に死んで、徐々によみがえりつつあるように思えるのだった。

しかし何が女預言者レヘレに起きたのだろうか？　敬虔さと神の恩寵が彼女から去ってしまった。宗教書を学びたい気持ちはすっかり消えてしまったし、世俗のことがらへの関心はなかった。彼女は訪問客を冷淡に迎え、彼らの名前を取り違えた。毎朝の沐浴をやめてしまい、もはや美しい装いをしなかった。彼女のなかにいるだれかが、もう長いあいだひねくれたことを考えていて、そのだれかはさまざまな質問をしては答えていた――あたかも対話が彼女の頭のなかで続いているようで、複雑で、長たらしく、始まりも結論もなかった。いく日もいく夜も通して議論は続いた。高尚な言葉が語られ、トーラーが綿密に解釈されて、世俗の著作の説明もあった。論争している者たちは頑固だった。しばしばレヘレは議論の根拠を理解しようとし、あとで思い出そうとした。しかしそれらはつかみどころがなく、夢のなかの言葉のようだった。ときにはこうしたことがレヘレには、ただ頭のなかだけで起きているように思えた。また、一瞬にして現れては消えるまぼろしが見えることもあって、実際に何が起きたのかおぼつかない気持ちになった。一度レヘレは論争している者の一方が叫んでいるのをはっきり耳にしたことがあった。

「神は死んだ！　〈殻〉〔カバラーで、聖なる要素を取り囲んでいる殻。悪の力の象徴〕がとこしえに支配するであろう！」

こう言ったのは背の高い男で、灰白色で恐ろしく、クモの巣だらけだった。房状になった長い髪が頭から垂れていた。邪悪で、あざけるような笑いが、あばたのある変色した顔にさっと広がった。彼がしゃべったすぐあとに、また別の声が〈過越しの祭の典礼書〉の一節を詠唱した。

「私は主である！　私はそれであり、ほかの者ではない！」

　聖なる者と冒瀆する者が論争を繰り広げていた。聖なる者には顔があったが、体がなかった。その〈顔〉は紅潮し、沐浴のあとのようで、白いあごひげと、長く茶色い脇髪をしていた。ベルベットのスカルキャップを広いひたいに載せていた。〈顔〉は祈りながら揺れた。熱意を持って語り、昔のラビ・ベニシュのようで、宗教書を詠唱していた。トーラーについての問いを提起し、それらを解明した。信心に満ちた話を語って信仰を強め、不信心を打ち負かした。神聖な誇りをもって、〈顔〉は食前の祝福を朗唱し、安息日の始まりと終わりにおこなわれる祈りを唱え、典礼文の全節と〈ゾーハル〉も唱えた。ときどきレヘレが目を閉じると、〈顔〉が暗闇から波のように浮かび上がってくるのが見えた。老人の細かな皺が目の隅で震えた。繊細な青い血管が赤い頬に現れ出て、目は祖父のような気品でほほえんだ。

〈冒瀆する者〉は少し離れた場所にいて、奥深い、地下室のような暗闇のなかにいた。ときどきとても低音で、声を出さずにしゃべった。隠れ、覆いに包まれて、何かクモの巣か繭（まゆ）のようなものの内側に横たわっていた。しばしば姿を変えた――ときには人のように見え、別のときにはコウモリかクモのようだった。おりおりレヘレに見えるのはただ、あいた口だけで、カエルの口のようにゆがんでいた。〈冒瀆する者〉は傍若無人で、みだらなことを口にした。そしてその声は身を隠している穴蔵、あるいは洞窟から響いてきた。愚弄し、冒瀆し、聖者や天使の名をしゃべり散らした。下品な表現が次々と彼の唇から流れ出た。彼はたっぷりと茶化し、あざけって、レヘレはもう少しで笑いそうになったけれども、それは罪深いことだと彼女は承知していた。

そんな恥ずべき思いはどこから来たのだろう？ 〈冒瀆する者〉は男や女の下の部分をもっとも無作法な名で呼んだ。レヘレにいかがわしい光景を見せて、聖書の節にある卑猥な意味をあらわにした。また、族長たちやダビデ王、バテシバと王妃エステルも容赦しなかった。獣や動物の交尾を描写し、牡牛と女、男と雌豚との交接を言いあらわした。怪物のような男たちと夜をともにする女たちの話や、小鬼や悪霊と密会する娘たちの話を語った。アラム語で魔法の呪文を唱え、ラテン語で破壊の悪鬼を呼び出した。ときどき〈冒瀆する者〉は聞いたことのない言葉でぺちゃくちゃ言い始め、歯の抜けたしわがれた声できゃあきゃあ笑い、まるで何かにくすぐられたかのようだった。別のときには、レヘレをからかって、詩を作った。

レヘレ、さあ

どうやるかをおまえに教えてやるよ……

レヘレは〈冒瀆する者〉が怖くなった、というのも彼は日ごとに力を増し、彼女を巻き込んでいくのだった。ときには、レヘレが横になって目を閉じていると、聖なる者の〈顔〉が後退し始め、とうとう、木の実ほどにまで小さくなって、消えてしまうのだった。ある晩レヘレは気がつくと囲われた場所にいて、塚とイバラと石だらけのところにいた――まるで墓地のようだった。怪しげな薄暗がりのなかに、割れた鉢やぼろ布が散らばっていた。水たまりがいくつかあって、遺体をそこで洗ったかのようだった。彼女は小屋の前に立っていたが、出入り口はなく、ただ壁に丸い穴が一つあいており、そこから蒸気が出ていた。今にも消えそうな光が小屋のすき間から漏れ出ていて、何か肺みたいな、赤くてふくらんだものが覗いていた。怖くなって、レヘレは逃げ出したかったが、足が鉛のようで、よろめいた。必死になって走ろうとしたが、どうにもならないまま、どこか地下の小道に迷い込み、そこは閂（かんぬき）で閉ざした雨戸や窓のない壁、ゆがんだ梁ばかりだった。レヘレは丘をよじ登ってはくだり、小さな裂け目を這うように通り抜けた。弱々しい腕でぐらぐらする梯子を登り、綱をたぐって体を引き上げた。それでも彼女は沈み続け、沈めば沈むほど辺りは暗くなり、ますます空気は息苦しくなった。あごひげのある姿が彼女を追いかけ、毛深くて裸で、濡れて臭く、両手は猿のように長く、口をあけていた。とうとう彼女をつかまえ、まるで羽みたいに軽々と抱えて（というのも彼女はたちまち体重がなくなったのだった）、彼女をつれて夕闇に満ちた通りや高い建物の上を飛び、塚や穴、穢れでいっぱいの、空のない空間を通った。彼らの背後には、実体のないものが群れなして走り、なかば悪魔、なかば人間という者たちで、彼らを指さして、追ってきた。〈それ〉は彼女を運び去って、勾配の急な屋根、溝、巨大で白カビの生えた煙突を越えた。逃げ道はなかった。息苦しく、〈それ〉は彼女を抱きしめて、もたれかかった。〈それ〉は男だった。彼女を襲おうとした。彼女の乳房をぎゅっと握った。彼女の両足を骨ばった膝で押しひらこうとした。早口でしゃべりかけ、しゃがれ声で、息も荒く、嘆願したり強要したりした。

「レヘレ！　早く！　させろよ！　おまえを奪いたいんだ！」

「いや、いや！」

「レヘレ！　おれと契約を結べ！」

「いや、いや！」

「レヘレ、おまえはもう犯されているぞ！」

彼は彼女を投げ落とし、彼女のなかに入った。彼女は悲痛な叫びをあげたが、なんの音も出ず、はっと眠りから覚めた。これ以上ないほどはっきりと、彼女は暗い家に邪悪なものどもがひしめいているのを目にし、正気ではない生き物があちこち走りまわり、熱い炭の上にいるみたいに飛び跳ね、身を震わせたり揺れたりして、まるでいっしょになって大きなこね鉢のパン生地をこねているかのようだった。あざけるような歓喜の表情で彼らの顔は輝いていた。レヘレは自分がだれで、どこにいて、何が起きたのか思い出せなかった。頭は石のように重く、皮膚はねばねばする物質で覆われた。ときどきレブ・ゲダリヤには彼女のあえぐ声が聞こえた。ろうそくを手にして、彼は彼女の枕もとに駆けつけた。彼女のこめかみを酢でこすり、息を吹きかけて、あおぎ、侵入者を追い払おうとした。レブ・ゲダリヤは三度唾を吐き、部屋を隅々まで調べて、霊が出現したしるしを捜した。彼の大きな両手が震えた。汗が彼の体からレヘレの羽根布団にしたたり落ち、彼はまるで彼女の耳が遠いかのようにどなった。

「起きろ！　レヘレ！　怖がるな！　おまえは良きまぼろしを見たのだ！　良きまぼろしをおまえは見たのだ！　おまえが見たまぼろしは良きものだ！」

第12章　レヘレはサタンによって身ごもる

ゴライは飢饉だった。なかば空っぽの店で商店主たちは冷えきったストーブを前にうたた寝をした。道具がないので、職人たちはぶらぶらしていた。その年の夏に何もかもが崩れ去っていた。中身のない茎が畑で刈り取られ、撒くための種はなかった。家族を置き去りにして、農民たちは地方を物乞いしてまわった。彼らのやせこけた馬は馬小屋から追い払われて、狼の餌食となった。これほど壊滅的な飢饉は何年ものあいだで例がなかった。人々が路上で凍死しているのが見つかった。風車は停止したままで、挽くべき穀物がなかった。

ゴライの人々は衰弱した。大柄でがっしりした人々は鮮黄色になって、足を引きずり始め、汗のような白い膜が眼球を覆った。やせ形の人々は歯痛から来るてらてらした、腫れぼったい顔になった。おしゃべりな者は黙り込み、ふざけ屋は冗談ごとをやめた。子供たちでさえいたずらを忘れ、不安が彼らの目からじっと見つめて、老人の目のようだった。早朝から夜遅くまで男たちは学びの家に坐り、幅の広い土のかまどの前で体を温めた。始めのうち彼らはまだ論争した。〈信奉者たち〉が言うには、サバタイ・ツェヴィはスタンブールを統治しており、〈十支族〉に使者を派遣して、彼に加わるようにと説いたのだった。そして彼のしたことは天であらかじめ定められたことなのだから無視するようにと説いたのだった。最初の五十艘の船が強き戦士たちと戦車と武器を積み、すでに船出して、戦いに備えているのだ。しかし〈反対者たち〉には確信があって、サバタイ・ツェヴィはムハンマド・バシと名を変えており、カリフとなってユダヤ人嫌いとなり、信心深いユダヤ人の追放に責任があったのは間違いないと考えていた。しばしば論争する者たちは殴り合いになり、手紙や小冊子をずたずたにして、ベルトを振りまわし、流血の事態となった。

しかし今は、あたかももうこれ以上は何も言えないという様子で、沈黙があった。絶望が町をとらえていた。老人は人前でシラミを取り、学びの家のテーブルやベンチではばかることなくいびきをかいた。少年たちは〈ヤギとオオカミ〉遊びをし、本を覗きもしなかったが、それは彼らが何をしようと気にかける者がだれもいないからだった。もはや罪を犯すこともなくなった。悪霊自身がうたた寝したようだった。だれもが自分だけの道を歩んだ。ときおり姿を見せる遍歴者がゴライに来ると、わびしい気分でしばらく通りを歩いて、それから、空の袋をかついで、呪いの言葉を口にしながら立ち去った。

ああ、哀れなゴライ――あらゆる災厄が降りかかった! 冬であるのに、火事が頻発した。家々はひとりでに火がつくかのようで、まる焼けになった。鉢のかけらとむき出しの煙突だけが残った。これまで以上にこの年は、人々がすべって転び、腕や足を折った。納屋が空なので、野ネズミが家のなかに入ってきた。ケナガイタチが鶏を絞め殺し、子供たちに噛みつくことさえあった。泥棒が町の近郊に住む人々の家に押し入った。熊やイノシシが道で待ち伏せていた。破壊の悪鬼がゴライの通りで好き放題に楽しみ続けていた。毎晩、彼らはレブ・ゴデル・ハシドの家の窓ガラスを叩いた。ろうそくを灯すと、五本の指を広げた骨ばかりの片手の影が、向かい側の壁にはっきりと見てとれた。お産のときの女のようなうめき声がレヴィの家の煙突から聞こえた。木曜日には小鬼どもがパン生地のこね鉢をひっくり返し、安息日の白いパンのためのパン生地をまき散らした。正餐を調理している鍋に塩を手づかみで投げ込み、メズーザーを戸柱からもぎ取り、荒れ果てた場所で結婚式を執りおこなった。小鬼たちは車輪の輻にぶらさがって荷馬車をうしろに引き戻し、馬の目を見えなくするのだった。雄ヤギに姿を変えて踊り、沐浴場から戻って来る女たちを出迎えた。ある午後遅く、チンケレは女性用の区画での祈りに行く途中、黒い皮の獣が這い寄ってくるのを昇りつつある月の光で見た。彼女は走ろうとしたが、怪物は人間のようにうしろ足で立ち上がり、追いかけてきて、とうとう彼女は溝に落ちてしまった。翌日の夕方、同じ生き物が数人の子供たちを通りで怖がらせた。少年の一人はその獣がキリスト教徒の言葉で何か叫ぶのを聞いた。みんなすぐにこれは狼人間だとわかった。それは気の狂った領主のザモイスキだと小声で言う者もいたが、それはかつて狼人間がピストルを撃ち、ダカット金貨を数枚投げちらしたことがあったからだった。人々は駆け出して、レブ・ゲダリヤと女預言者レヘレにこのことを知らせに行った――しかしそこもまた、悪が支配していた。

レヘレはサタンによって身ごもっていた。彼女自身が夫に告白した。サマエルが夜に彼女を訪れ、彼女を犯したのだった。破壊の悪鬼が彼女の子宮で成長した。彼女はレブ・ゲダリヤに彼女の腹をよく調べるように言い、彼はたしかに腹が太鼓のようにこわばっているとわかった。レヘレはまたレブ・ゲダリヤに、もう月のものがないと告げ、悪鬼どもが彼女の髪に七本のお下げを編んだ場所を示した。最初レブ・ゲダリヤはレヘレの言うことを信じようとせず、すべて空想だと主張した。夜になると彼は彼女の部屋に明かりをたくさん灯し、いたるところに魔除けを置き、さまざまな嘆願を唱えるのだったが、それはレヘレといっしょにいたいと願ったからだった。しかし彼が彼女のかたわらに横になったとたん、ろうそくがすべて消え、彼は両のこめかみを殴られて、ベッドから放り出された。そしてある声が叫ぶのを聞くのだった。

「彼女に触れるな、おれと契約を結んだのだから！　立って、さっさと出ていけ！」

それからというもの、レブ・ゲダリヤはレヘレとのかかわりはすべて避け、一人にしておいた。チンケレまで追い払って、代わりに口のきけない召使の女の子を雇い、生じたばかりのこの不名誉が露見しないようにした。愛する妻を盗み取られたので、レブ・ゲダリヤは酒を飲むようになり、終日自分のベンチベッドで寝ていた。友人たちが彼から離れていき、彼はもし肉屋たちが味方でなかったなら、間違いなく町から追い出されていたことだろう。一方、恐ろしいことがレヘレには起きた。

毎晩サタンはレヘレを訪れて彼女を苦しめた。彼は黒くて背が高く、目がぎらぎら光り、長い尾があった。体は冷たく、唇は鱗（うろこ）だらけで、燃えるピッチのような息を吐いた。あまりに何度も彼女をほしいままにするので、彼女は動く力がなくなった。それから彼は身を起こし、無数のやり方で彼女を苦しめた。彼女の頭から髪の毛を一本ずつ引き抜き、彼女ののどに巻きつけた。彼女の尻をつねり、ぎざぎざの歯で乳房に噛みついた。彼女があくびをすると、彼女ののどに唾を吐いた。シーツに水をかけて、彼女がベッドを濡らしたように見せかけた。陰部を見せろと無理強いし、汚水を飲ませた。彼女を言いくるめてあからさまに神の名を唱えさせ、神を冒瀆させた。金曜日の夜には安息日を穢すように強いて、紙を破かせたり安息日の燭台を触らせた。ときどきサタンはレヘレに卑猥な話をし、レブ・ゲダリヤは壁の向こう側で、彼女の大きく、狂ったような笑い声が真夜中に鳴り響くのを聞くのだった。一度、レブ・ゲダリヤが聖櫃の扉を開けてトーラーの巻き物を取り出そうとしたところ、巻き物を包む覆いが切り裂かれ、なかに汚物が入っていた……

　レヘレはとてつもない責め苦を受けた。ときに悪魔は彼女の乳房の一方をふくらませた。一方の足が腫れた。首が硬直した。腿やわきの下にできたじくじくして膿（うみ）のある腫れ物からレヘレは小石や毛、ボロ布、蛆を抜き出した。食べることはずっと以前にやめていたのに、レヘレは頻繁に嘔吐し、爬虫類を吐き出し、それらは尾から先にずるずると出てきた。ときには犬のように吠え、雌牛のようにモーモーと鳴き、馬のようにいななき、また獅子や豹の声を出した。口があかなくなる日があった。また、耳が聞こえない日もあった。しばしば、やぶにらみになったり、寄り目になったりし、わけがわからないほど舌がもつれて、まるで寝言を言っているみたいになった。彼女の病気に与えられた丸薬はのどに詰まったままで、それらをまた吐き出さねばならなかった。

　レヘレの名は語り種（ぐさ）となった。レブ・ゲダリヤは何が起きたかをなんとか隠そうとしたが、むだなことで、壁には耳があるものだ。彼女の異様なふるまいはいたるところで取りざたされた。月の輝く夜に、レヘレは裸足で寝間着のまま雪のなかに出ていった。夢遊状態で歩いて、墓地を訪れ、そこで墓石のあいだを這いまわった。泥を爪で引っ掻き、死んだ幼児を掘り出し、墓のてっぺんに這いのぼった。井戸のへりに坐って、雄鶏のように鳴いているのが目撃された。ある女はレヘレがほうきに乗っているのを見たと誓って言い、そのうしろを犬が輪に乗って転がっていったと断言した。

村の使い走りの者たちはレヘレが川岸に坐って服をゆすいでいるところに遭遇した。レヘレに何が起きたかについての話はヤヌフに伝わり、トゥロビン、ザモシチ、クラシニク、そしてルブリンにまで広がったが、それは彼女の名前が女預言者の名としてこれらの地域すべてで有名だったからだ。農民たちもまた、サタンがユダヤ人の娘の体に入り込んだことを知り、この厄災が定期市や居酒屋で話の種となった。レブ・ゲダリヤの家の雨戸は昼も夜も閂で閉ざされ、彼は夕闇が降りるまで戸外に顔を出さなかった。それからレブ・ゲダリヤは大きな外套に身を包んで屠畜場に出かけるのだが、重たい棒切れとランタンを持ち、人々と彼らの一瞥に浮かぶあざけりを恐れた。

第13章 ゴライのディブック〔悪霊〕

ディブックにとりつかれた女に関する驚嘆すべき話（神が我らを守られんことを）。

尊き書物『地の業』を出典とし、イディッシュ語に翻訳されたる目的は、婦女子と庶民がその驚異のすべてを完全に理解し、彼らが神の道に立ち戻る心を固めるようにとの配慮のゆえなり。そしてまた己の魂を穢す罪びとへの罰（神よ我らを救いたまえ）がいかに大なるものかが彼らに教示されんがためなり。願わくは全能者が我らをあらゆる悪から守り、その怒りを我らから逸らし、サタンとその同類をとこしえに追い払われんことを。アーメン。

山々に囲まれ、ザモシチ、トゥロビン、クラシニク、およびその他の聖なる共同体にほど近く、かつては著作『聖なる捧げ物』の著者が住まいしところであり、近年ではラビ・ベニシュ・アシュケナジ（義人の記憶が我らみなの祝福であらんことを）がラビの座にありしところのゴライでかくなることが起きた。それが起きたのは、あの恐るべき年、すなわちサバタイ・ツェヴィ（願わくは彼の者の記憶がぬぐい去られんことを）のおこないにより大地の柱が揺れ動いた年であった。彼の者（なんとなれば我らの罪の大なるがゆえ）はみずから改宗し、他の多くの者を義の道より誘い出し、しかもなかでも信仰心篤き者を多くそそのかし、流浪の地の隅々に火をつけた。願わくは嫉妬と復讐の神であられる神が彼の者を正当に扱い、邪悪なる者にその邪悪さにふさわしく報いてくださるように、そして我らみなが、真の、そして全き救済をすみやかに、かつ我らの時代に、目にするに値すると見なされますように、アーメンと唱えん。

ゴライの町に居を定めしある男は遠く広く名を知られ、なんとなればその者は神を畏れ、好ましい顔（かんばせ）で、そのおこないが良きものであるゆえだったが、この者の名をゲダリヤといった。そしてこの者はカバラーを用うるに通じ、神秘に通暁していた。すなわち彼は壁からぶどう酒を引き出すことができ、錬金の術に長け、安息日の夕ごとに我らが聖なるアモライム〔口伝律法を教えた昔の賢者たち〕に関する伝承にも似て三番目に生まれた子牛〔タルムードのこの伝承に関して、三番目に生まれた子牛は先に生まれた子牛よりも良いという解釈がある〕を作った。この者は知恵ある者であるゆえ、多くの秘薬の心得があり、その英知となめらかな舌によりすべての者たちの目に好意を得た。しかし実のところ彼はベリアルの子であって、完全に邪悪であり、彼のなしたことすべては聖なる創造主の怒りを引き起こさんがためであった。ひそかに彼は神を冒瀆する者の名に祈願し、リリス、ナマー、マフロト、そして他のあらゆる破壊の悪霊を呼び出し、彼らが彼の思いを果たせるよう、そして彼が彼らの思いを果たせるよう嘆願した。そしてこのようにして彼は金、銀、ダイヤモンド、宝石といった宝をたくわえた。そして彼は町の住民を欺き、彼らの妻を知り、数知れぬ私生児をもうけた。そしてその肉欲と放縦において、書物に記すにはふさわしからぬ数々の恥ずべき所業をなしたが、賢者にはひと言にて足るであろう。

そして見よ（彼のあまたの罪ゆえに）、彼みずからの妻もまた（それを彼は極めて義なる者である彼女の夫から狡猾にも奪ったのであった）〈異界の者ら〉の網にかかり、ディブックが彼女にとりついた。彼女には義なる女としての名声があり、またエリヤが彼女に姿を現したがゆえに、いかなる人の子もその耳に届く知らせを正しく信じることができず、だれもがその報告が真なるか否かを確かめんと欲した。そして真であった。その若い女（レヘレという名であった）は家に裸で横たわり、その恥は晒され、あらゆる用具は壊れ、寝具のリンは破れ、彼女は大きく悲痛な叫び声を上げた。町の長老たち及び指導者たちみなが集まったとき、彼らは彼女だとわからなかった。姿かたちがすっかり変わり、顔は白亜同然に白く、唇は発作によるかの如く（神よ、我らを救いたまえ）歪み、瞳は異様なありさまで裏返っていたのである。そして叫ぶその声は彼女のものではなかった。彼女の声は女の声であるが、ディブックは男の声でひどく泣き喚いたため、恐怖がその場にいるすべての者をとらえ、彼らの気力は恐れで崩れ去り、膝が震えたのであった。そして彼女が腰かけの上で産婦のごとく足をひろげるので女たちは彼女の足を閉じようとしたが、それは男たちの前で恥であるからであり、彼女らは彼女を覆おうともした。しかしたちまち彼女の衣服は彼女の体から脱げ落ち、なんとなれば悪霊がそれらを投げ捨てるからであった。そして彼女の四肢の力は異様に強く、それゆえ男たちですら勝ることができず、そのことはみなにとって驚異であり、実に不可思議であった。

レブ・ゲダリヤは何が生じ、わが身に何が起きたかを目にすると、大いに恥じ、恥辱が彼の顔を覆った。彼は心のうちで、人々がなんと言うであろうかと思ったからである。もし霊がレブ・ゲダリヤの妻に取りつき、彼がそれを阻む知恵を見出さなかったのであれば、それならばたしかに彼は義なる者ではなく、彼の護符はすべて偽りであり、人々が彼をあざ笑い、彼に復讐することであろう。そしてそれゆえ狡猾にも彼は言った、見ての通り彼女は正気を失くしており、彼女の言葉はすべて狂女の言葉である、と。するとディブックがわめき始めた。ああ、ああ、汝、邪悪なる男よ、汝は不義な業をなし、汝の魂をあらゆる無価値なるもので穢し、売女たちと寝て姦淫を犯した。そして汝は今、汝みずからの目で見たものを拒み、汝の邪悪さが人々に知られぬようにし、また、汝の狡猾さと汝の傲慢さによって彼らをさらに欺かんと考える、と。レブ・ゲダリヤはこれらの言葉を聞くと、体から力が抜けた。しかしほどなく彼は力を取り戻し、彼女は完全に狂っていると叫んだのであった。だが人々はもはや彼の言葉に耳をかさず、信じようとはしなかった。そして一人の敬虔なる者、レブ・モルデカイ・ヨセフ（彼の記憶が我らみなにとりて祝福であらんことを）という者があり、この者はかつてもっとも深きシェオル〔黄泉の国〕にくだり、そののち悔い改めておのが魂を救ったのであった。彼は神を求めるに熱心であり、杖を振り上げ、ゲダリヤを打った。そして彼は叫んだ、汝、卑劣なる男、今やもうこれ以上この人々の目を惑わせはさせぬ。なんとなれば汝は誘惑者でありまじない師であり、災いが我らみなに降りかかりし源であり、迫害の杯を我らが澱（おり）まで飲まねばならぬ源であるからだ。そこで力強きゲダリヤは彼を殺さんばかりであったが、人々が彼に味方し、彼を守った。

そしてこのとき、ディブックがさらにいっそう声高にわめき、己の罪を身の毛もよだつ嘆きとうめきで告白した。そして女は重い石を持ち上げ、己の胸を打った。驚くべきは彼女の四肢が折れず、骨も砕けぬことであり、と申すのも石はきわめて重く、三人の屈強なる男もそれを動かすことができなかったゆえである。しかし彼女の手のなかでそれは羽のようであった。彼女は己（おの）が体を頭の頂からつま先に至るまで幾度も立て続けにその石で打った。そしてあの敬虔なる男、レブ・モルデカイ・ヨセフ（彼の記憶が我らにとりて祝福であらんことを）が腰に帯して尋ね、なにゆえ汝はわめき、彼女にそれほどの不幸をもたらすのか、と問うた。

するとディブックは大きな、耳をつんざく声で答えた。ならばいかにして我は叫ばず、いかにして嘆かずにおれようか。生者のなかを歩みしときにわが魂を穢し、トーラーに述べられしありとあらゆる罪を犯したこの身なれば。我はルブリンの出で、軽薄なる若者の一人として、居酒屋で麦酒をあおり売春宿で羽目をはずした。そして神の掟にことごとく逆らい、その怒りをかった。神聖な安息日に仕事をし、豚を食らい、そのほかの禁じられたる食べ物を食らった。そして〈贖罪の日〉には悪意から祝宴をはり、ぶどう酒を飲み、勝手気ままな欲望に身をまかせ、そしてまた、獣と交わり、動物や鳥を相手にした。ああ、悲しいかな、というのも我は心のうちで言ったのだ、正義もなければ裁きもない、と。そしてトーラーが天からのものであることを否定し、知恵ある学者すべてを見くだし、厚顔無恥に彼らに毒づき、悪ふざけをする者の常として彼らに犬をけしかけた。すると見よ、突然の病苦の一撃に襲われ、これはかつてだれ一人起き上がれたためしのない病である。そしてはっきりとわが身に終わりが来たと悟った。だが（邪悪なる者たちのならいとして）従順にはならず、ゲヘナのまさに入口を前にして高慢なままであり続け、そして死の前にわが仲間たちが訪ね来たりて、我に問うて言うに、アブラハムよ（それがわが名だった）、汝悔い改めるか、と。そして我は彼らに向かい傲慢にも、世に創造主が存在するとは今この時でさえ信じておらぬと答え、そして息絶える前に我は冒瀆の言葉を吐き、かくしてわが魂は神を否認しつつ離れていった。

かくて我は死を迎え、まだ運び上げられずに地に横たわっていると三人の悪霊が我をとらえた。そして彼らは我を無慈悲に苦しめ、足で踏みつけ、はなはだしく我を悩ませた。そしてそのとき我はまことに罰はあると悟ったが、ただすでに手遅れであった。そして覆いをかけられて横たわっているあいだじゅう、彼らはとうてい語りつくせぬありとあらゆる苦しみを我に加えた。そして我はわが親族に呼びかけ、なにか和らげる手立てはないものかと訴えたが、彼らにわが声は聞こえず、というのも我はすでにこの世の者ではなかったからだ。そして何万また何千億という小鬼がわが葬儀についてきた。彼らはみな我の子であり、我がたび重なる神聖冒瀆と姦淫とによって生み出した者たちだった。そして彼らは我を父と呼び、わが恥辱には限りがなかった。

そしてみなが我を墓に横たえ、シャベルで最後の土を盛ったとき、天使デュマが我を訪れた。そして彼はわが墓をその炎の杖で叩くと、墓はたちどころにぱっくりとひらいた。そして彼はマー・シェムハ（汝の名は何か）と呼ばわり、我はわが名にかかわる聖書の一節を思い出すことができず、というのも祈ったことがなかったからである。すると天使は叫んだ、汝穢れし種、汝イスラエルの主に対し罪を犯せし者、ここに留まるなかれ、そしてこの墓を捨て、投石器のくぼみに飛んでいけ。なんとなれば汝の居場所は墓地にあらず、そこはあまたの義人としかるべき男たちが安らかに眠る場なり、と。そこで我は彼に嘆願しようとしたが、彼はわが屍（しかばね）から死装束をはぎ取り、炎の杖で我を打ち、我を追い出した。

そして見よ、その外では我を待ち構えて、途方もない数の悪鬼と破壊の霊、破滅の使者の大軍がおり、彼らはみな懲罰を加えんとて我に飛びかかる準備も万端、我をこなごなに引き裂こうと身構えていた。そして彼らは怒り、あざけって我に迫り、我を追い、口笛を吹き、わめいて、我を荒野じゅう追いまわした。我は彼らから逃げ、逃れようとしたが、隠れ場はなく、彼らは我をつかまえ、我を投げとばし、放り上げ、我は風に弄ばれる鳥さながらのありさまとなった。右から引っ張る者あれば、左から引く者もあり、昼も夜も我を放さず、わが恐怖をおもしろがった。おお、たとえ天空すべてが羊皮紙であり、海原すべてがインクであるとしても、それでもなおわが試練の千分の一も記すに足らぬであろう。苦悶のあまり我は木の葉に身を移した。だがそこでもわが悲嘆は計り知れず、風が葉を揺らせばまさしく生きた人間のごとく身が震え、身もだえした。されど葉に宿っているかぎり悪鬼は我に害をなすことはできなかった。しかし我はそこを出て行かざるを得ず、それは虫が葉に這い寄り、歯を立てたからだった。そして葉を立ち去るや否や、黒き軍団が我を荒々しく取り囲み、我を転がし、大蛇やサソリ、角ある蛇だらけのあらゆる荒野や砂漠、荒れ地を転がしていった。そしてこの苦境にあって我は蛙に入り込んだ。しかしそこでもまた事態は厳しく、沼地や悪臭漂う湿地で繁殖する蛙に人が宿ることはできない。それにまた蛙は病み、患い、腹がふくれ上がる。そしてかように我は生き物から生き物へと渡り歩いた。さらに長年のあいだ碾(ひ)き臼(うす)に宿り、それが回転すればわが四肢がこすられ、苦痛はかぎりなかった。

そこでレブ・モルデカイ・ヨセフがディブックに向かいて、汝いかにして女に入りしか、またいかなる手立てにて彼女を支配するにいたったかと問いただした。するとディブックが語りていわく、ゲダリヤは信仰を否認する者、悪意からなる背教者であり、そしてまたおのれの妻を多くの汚辱で穢していると心得よ、そしてそれゆえ我は女を支配し得たと知らしめよ。ある朝、女が火打石二つを手にして火を起こさんと欲し、火花はどうあっても灯心に火を灯さなかった。すると女はサタンの名を叫んだ。そこでこれを耳にするや否や我はその体に入り込んだ。

そこでレブ・モルデカイ・ヨセフは霊に向かいて、汝いかなる道筋によりて女に押し入ったかと問い、するとディブックが語って、あの例の場所からさ、と言った。

そこでレブ・モルデカイ・ヨセフは立ち上がり、ゲダリヤを荒々しく打った。さらに他の男たちが彼に飛びかかり、彼を殴り、彼の血を流し、あごひげをむしり、ついに彼は気を失って倒れた。レブ・モルデカイ・ヨセフ（彼の記憶が祝福であらんことを）は彼を四十回打ち据え、彼の血が水のように流れた。そして人々が彼を捉えて、祈りの家の控えの間にある牢に投げ込んだ。彼らは彼を鎖で柱につなぎ、そこで彼はそのまま裁きを待った。なんとなればキリスト教徒たちも彼らの裁判において魔女に刑を宣告しており、その多くが火あぶりとなったからである。人々は見張り人を定め、彼を監視した。

第14章　レヘレの死

こうしたことののち邪悪なるゲダリヤが投獄され、レブ・モルデカイ・ヨセフ（彼の記憶が祝福であらんことを）は力強き男たちに命じて、悪霊を追い出せるやもしれぬ学びの家にその若い女を運び込ませた。ディブックは実にありとあらゆる苦痛でその女を疲労困憊させ、神の名の冒瀆をもたらし（神が我らを守りたまわんことを）、その女に大いなる同情が起こったからである。力強き男たちが立って、女を抱え、女の意に反し、祈りの家の裁きの場に連れ出した。この間その女は静止し、沈黙し、力が失せてしまったかのようであり、幼い子供のようであった。しかし彼らが祈りの家の控えの間の戸に近づくと、ディブックは絶叫し始め、泣きわめき、我をこの場にこれ以上近づけるな、聖なる空気に耐えられぬゆえ、と叫び、その叫ぶ声は遠く広く聞かれた。しかし男たちはディブックに注意を向けず、女が抗ったけれども力ずくで学びの家に運び入れた。彼女は男の力を凌ぐ力を振るい、その力は悪霊から来ていたのであった（前述参照）。

そして女が聖書朗読台に横たわるとディブックはいきなりひどく泣き出し、聞く者みながともに泣くほどであった。女たちのみならず男たちも同様に同情心に打ち負かされた。ディブックは叫び、言った。何ゆえ汝らは我を憐れまず、何ゆえ悩ませ我を苦しめようとこれらのことをなすや。汝らがよくよく承知のように、聖なるあらゆるものは我に大いなる苦しみをもたらし、生きた生身の肉体に針を刺すにも似たり。さあ汝ら、よく調べ、いかなる不当な仕打ちが我によりてこの女になされたかを見出してみよ。我が入りし以前には、弱く、病身であり、滋養のためには汁物を要し、杖にすがって身を支えざるを得なかった。そして今は見よ、我が入りしゆえこの女は力強くなり、重き荷を持ち上げ、温かき衣類もなしに寒さのなかへ出ていき、心に望むすべてをなすことができるのだ。それゆえ汝らがみな集まり来たりて我を破滅させんとするは何ごとぞ、ことに我がイスラエルの子孫であり、〈異界の者ら〉を大いに恐れる者ならばなおのこと。そのある者らはイノシシの顔を持ち頭は八つ、そして鼻づらの下の毒は死の陰の谷から来たる火そのもの。また他の者らは雄羊のように角で突き、〈毛深きヤギたち〉と呼ばれる。そしてその毛皮はタールで覆われ、その剛毛はトゲからなり罪深き者どもを恐れおののかせ、その住まうところは〈暗黒の山々〉の彼方なり。今、汝らに冀わくは、この女の体に宿る許しを我に与えよ、しからば誓って言うに、この女の頭の毛ひとすじたりとも損なうことなく、この女を掌中の珠のごとく守り、いかなる不幸もこの女を見舞いはせぬと請け合おう。そしてわが苦しみの定められし枡目が満たされ、ゲヘナにての十二か月の裁きに耐えてよしとの許しが与えられたあかつきには、ああ、そうなれば我はこの女を捨て、これ以上騒ぎを起こすことなく解放し、かまいはせぬであろう。

そして霊は人々を欺きあざけろうという狡猾な意図をもってこれらの言葉を語った。そしてまことにいく人かの無学の者らはその無知ゆえにディブックの言葉を真なりと信じ、容赦せんと欲した。しかし敬虔なるレブ・モルデカイ・ヨセフ（彼の記憶が祝福であらんことを）は悪魔の策略を見て取り（なんとなれば彼は大いなるカバラー主義者であった）、叫んで言うに、否、汝、彼女から立ち去り、人がだれも住むことなく野の獣も足を踏み入れぬ地であるあの場所へ行け、かく申すは汝を生者のなかに居続けさせるは適正とは言えぬゆえ、と述べた。そしてこれらの言葉を発せしとき、レブ・モルデカイ・ヨセフは、奥義の心得を持つ人々の知識の内にあるもろもろの聖なる名を黙想し、そうした結合を形成し、そうした組み合わせを作り、そうした円や輪を描いた。

すると霊はやさしげな言葉を捨て、不快な言葉で言い始め、火が鼻孔から沸き立ち、壁を震わす大声で叫んだ。

汝は何者で、また汝の祖先の家になんの勲功ありて、我と争おうと思うのか。おのれを神の名の精通者なり、カバラーの熟達者なりと信ずるか。さにあらず、汝はまったくの無学者、汝の組み合わせなどいささかの効力もありえず、と。そしてディブックは大衆の言語で格言を口にし、吸角法（きゅうかく）〔ガラス器を用いて皮膚の表面から血液等を吸引する昔の療法〕が死者に役立つほどに効き目あり、と言った。そしてレブ・モルデカイ・ヨセフ（彼の記憶が祝福であらんことを）を罵り、世の始まり以来このかた見たことも聞いたこともないような悪だくみを彼に仕掛け、すると多くの者が敬虔なるレブ・モルデカイ・ヨセフを笑った。そして神の名を大いに穢すこととなったが、それはディブックが卑猥なことを口にしてふざけ、ばか笑いと下卑た哄笑が起きたゆえであった。そしてまず彼は各人の犯したひそかな罪を列挙し、彼らの名を挙げ、めくばせして、汝しかじかの場が記憶にないかと問い、そこで大騒ぎとなった。彼は名誉ある人々の妻を貶め、ラビの妻が売春婦さながらのふるまいをしたと暴露し、多くの家庭に関わる中傷をおおやけにし、それも傲慢無礼かつ厚顔無恥におこなった。そして（我らが掟に背いたゆえに）だれ一人、偽りを述べたとあえてディブックを責める者はおらず、すると彼はいっそう大胆になり、隠されていたことがらを暴き、明白なる証拠のしるしを示した。彼はある女に、乳房の下にほくろがあることを思い出させた。別の女には痣が、また別の女には腫れ物が、また別の女には傷が、別の女にはシラミが、等々と指摘していった。そして彼はまた、男と女のあいだのことがら、夫と妻のあいだのことがらを口外した。そしてそれから彼ははしゃぎまわり、歌を歌い、すべて韻を踏んだので、聞く者はみな仰天したが、なんとなれば女がそんな創作をする慣例はないからである。そして彼は女たち及びその習慣を嘲笑した。どのように彼女らが安息日と祭日にろうそくを祝福するか、どのように白いパンの十分の一税を納め、それを焼くか、そしてどのようにエンドウ豆をつまむか、沐浴場や祈りの家でどんな身振りをするか。そして彼はこれをすべて悪意でおこない、女たちが夫の目に醜く映るようにおこなった。そして彼は敬虔な者たちをドイツ語風の言い回しであだ名を用いて呼び、すなわちトロプ、レキシュ、パレフ、エゼル、シェモシュ、プシュケメクレル、カルトゥーン、ボクなど（まぬけ、あほ、ごろつき、ばか、ズベ公、口出し屋、スカンク野郎、雄ヤギ）と言い、そしてポーランド語風、ロシア語風の言い方も披露した。そして婚礼の天蓋の曲をみごとに歌い、一つには花婿が花嫁の髪を覆うときの〈覆いの曲〉、一つには〈天蓋の踊りの曲〉、また一つには花嫁と花婿が二人の部屋まで付き添われるときの〈付き添いの曲〉。そして横笛、シンバル、バグパイプ、そのほかの楽器の音を物まねし、すべて唇を堅く閉じておこない、それで会衆の心はその女の身振り手振りと作り顔を見て蝋が溶けるごとくになった。そして軽佻浮薄かつ思慮の足りぬ人々が居合わせ、彼らはこれまで転生があると信じたことがなかったが、今はおのが目でこれを見て、うつぶせに倒れ伏し、胸を打ち、衣を裂き、大いなる騒ぎとなった。

そのときレブ・モルデカイ・ヨセフ（彼の記憶が祝福であらんことを）が力を奮い起こし、吊り香炉を持ち来たれと命じ、オニチャ（「出エジプト記」第三十章三十四節。口語聖書ではシケレテ香）と蜜蝋と香、その他の香料と白熱した炭を持てと命じた。そして彼は黒いろうそくに火を灯すよう命じ、人々は浄めの板を持ち込み、彼は白い衣を身にまとい、そのほかに十人の男が祈禱用ショールと聖句箱を身に着け、先唱者が雄羊の角笛を手に取った。そして彼は聖櫃の扉をひらき、そこからトーラーの巻き物を取り出して、叫んだ。疾く飛び去れ、さもなくば我は汝を破門し、力によりて汝を追い払う、と。そして彼は吊り香炉に香料すべてを置き、香の煙が立ちのぼったが、香のにおいが〈殻〉を無効にするのは周知のことである。

そしてかくなることとあいなった。

なんとなれば霊は神聖な香の煙を嗅いだとき、大きく悲痛なる叫び声を発し、梁ほども高く跳ね上がった、そして女は床に転がり、泡が口からしたたって癲癇を起こしたかのようだった（神よ我らを守りたまえ）。そして悪意により霊は彼女のボンネットを地面に投げつけ、彼女の体をあらわにして、彼女は両足を広げて裸をさらし、男たちに掟に背く思いを抱かせた。そして彼女は放尿して聖なる場をよごし、乳房は石のように固くなり腹がせり出し、男が十人かかっても押し戻せなかった。彼女は左足を自分の首にからませて右足を板のようにこわばらせて突き出し、舌は首をくくられた男の舌のようにだらりと垂らした（神よ我らを守りたまえ)。このありさまで彼女は横たわり、彼女の叫び声はまさに天に達し、地は彼女の叫びで裂けた。そして彼女は血と汚物を吐き、それは鼻孔と目からしたたり落ち、放屁した。そして会衆の多くは嫌悪で胸が悪くなった。あるときには彼女は笑い、あるときには泣き、泣きじゃくって歯ぎしりした。そして多くの義なる女たちが証言して、悪臭が例のあの場所から出たと言ったが、それは霊がそこに宿っていたからである(前述参照)。そして彼女はまた文字に書き記すこともできぬほどのみだらな身振りもした。そして彼らが聖なるもの、すなわち廃棄されし宗教書の一葉、あるいは祈禱用ショールの房飾りの編み糸を彼女の近くに置くと、なんと彼女は飛び上がり、宙を舞った。そしてこのすべてに雷鳴と稲妻がともない、そのため会衆の多くの者たちが恐怖に打たれ、膝ががくがくと震え、叫んだ。我ら災いなるかな、冒瀆する者が聖なる者にまさしく勝ち誇っている(神がそれを禁じたまわんことを)、と。

そのときレブ・モルデカイ・ヨセフ(彼の記憶が祝福であらんことを)がまさに叫んで、大きく吹けと言い、雄羊の角笛を抱えし者が吹き鳴らした。そしてレブ・モルデカイ・ヨセフが叫び、我、汝を破門す、もし汝が即刻直ちにこの女の体を手放さぬならば、呪いの章にあることごとくの呪いとことごとくの禁令が汝の頭に降りかからんことを、と呼ばわった。そして先唱者が呪いの章を朗唱し、女の頭に灰を振りかけた。そして学びの家に非常な騒乱があり、キリスト教徒たちも駆けつけ、彼らの司祭もともに来て、彼らは頭を下げ、このことが高きところからのものであると悟り、彼らは彼らの神に祈った。そして彼らのうちのある者らは、その女は魔女であるゆえ死刑に処せと叫んだ。そして会衆はあまりに密集して祈りの家に立っており、もうそれ以上人が立ち入ることはできず、大変な雑踏であった。

そしてディブックは禁令から我を解放せよと叫び、退去には誠実に同意する、神聖なるものにもはや耐えられぬゆえ、と言った。レブ・モルデカイ・ヨセフ〈彼の記憶が祝福であらんことを〉はディブックが嘆願したとおりにおこない、彼の名においてミシュナー〈ユダヤ法の基本となる口伝律法〉を学ぶことと彼の魂のために〈服喪者の祈り〉を朗唱することを約束し、ディブックを慰め、禁令を解いた。しかしたちまち悪霊はみずからを打ち消し、叫んだ。否、ここが我にとりてより望ましく、何があろうと立ち去らぬ、と。そこでレブ・モルデカイ・ヨセフは再び彼を禁令のもとに置き、ディブックを威嚇し厳命し、こうしたことが何時間も続き、ディブックはその歪んだ舌で偽りを述べ偽証するばかりであった。そして彼はもろもろの聖なる名は彼にとってなんら恐るに足らずと豪語し、神聖なる神を否定した。人々が彼に、それでは何ゆえ汝は罰されしやと問うと、彼は答えて、すべて偶然なり、自然の成りゆきなりと答えた。そしてかように彼は反抗を続けた。おお、もし我らが悪鬼のなしたすべてとその野卑な態度そしてその猥褻さのわずか千分の一であっても語ろうとしたならば、この舌はそれを述べるには短すぎ、この紙もそれを記録するには同様であろう。しかし全会衆は完璧なまでにはっきりと神の奇跡を見、彼らの天の父に立ち戻る決意を固めた。そして全能者の名はその日あがめられた。

そして夜近くに霊が叫び、さらばだ、我は今まさにこの女の体を捨てようぞ、吹き鳴らされる雄羊の角笛と厳命によりここにわが居場所はなきゆえ、と言った。そして彼は人の涙を流して泣き始め、言うには、願わくは我に哀れみを神が示さんことを、我は極度の苦境にあるゆえ、と述べた。そして夕闇が学びの家にたれこめ、それは冬であり日の短いときであったからである。そして会衆はみな、そして安らぎをあらしめよで始まる節と詩篇のさまざまな聖歌と他の祈りを朗唱し、霊を追い払わんとした。そのとき突然に霊が、離れよ、我が来たるぞ、と叫んだ。そしてまさに恐れからひどい押し合いとなり、多くの人々が踏みつけられた。次の瞬間会衆は炎の閃光が例のあの場所から出るのを目にし、それは窓を飛びぬけ、ガラスに丸い焦げ穴を残した。そしてだれも口をひらかず、衝撃のあまりものが言えなかった。

しかしレヘレは死んだように地に横たわり、彼女の力は霊から来ていたゆえであった（前述参照）。そして女たちが急ぎ彼女を覆い、彼女の家に運び、回復させ、よみがえらせようとした。

そして以後いく夜も悪霊は彼女を訪れ、窓を叩き、彼女にやさしく語りかけた。そして言うには、されど見よ、我が汝に宿っていたあいだ汝は壮健であった。そして今、汝は病身で惨めである。だが我を汝の体に戻してみよ、そして汝ののど元から魔除けを取り除け、さすれば我は汝の喜びとなろう。そして霊はこのように耳ざわりのいい言葉を語り、愛想よく言ったが、女は注意を向けようとしなかった。そしてそこで彼は彼女に警告して、この報いは受けることになるぞと言い、報復すると脅した。そしてかくあいなった(大いなる我らの背きのゆえに)。なんとなれば三日目の朝に女たちがレヘレの世話をしようと彼女のもとを訪れると、彼女は死んでおり、彼女の体はすでに冷たかった。そして彼らは彼女を正当に扱った。そして彼女の最初の夫レブ・イチェ・マテスが彼女の喪に服し、〈服喪者の祈り〉を彼女の墓で唱えた。そして限りなき彼女への愛ゆえに彼はこれを苦にし、病の身となった。そして彼は死ぬ前に、我を彼女のそばに埋めるべしと言った。そしてかくしてあの義なる男は口づけと共に息を引き取った。彼の功徳が我らの盾とならんことを。

そして邪悪なゲダリヤは見張り人を説きつけ、後者が彼の鎖を外し、彼らはともに逃げた。ゲダリヤは背教者となり(神が我らを救いたまわんことを)、偶像崇拝者たちのなかで高き地位にのぼり、ユダヤ人を悩ます者となった。そしてある人々が言うには、ゲダリヤはまさにサマエルそのものにほかならず、彼のなしたことはすべて誘惑以外のなにものでもなかったのである。そしてこの話の教訓はこうである。

何人も主に強いようとするなかれ。この世における我らの苦しみを終えんがために。メシアは神ご自身の時にお出でになろう。しかるのち絶望と罪から人を解放したまうであろう。そのときには死はその刃をしまい込むであろう。
そしてサタンは退けられ、忌み嫌われて滅びるであろう。
リリスは夜とともに消え失せることになろう。
流浪は終わり、すべてが光となろう。
アーメン、セラ。

完にして了

『ゴライの悪魔』の作者アイザック・バシェヴィス・シンガー（Isaac Bashevis Singer, 1903～91）はポーランドのワルシャワ近郊のユダヤ人村で生まれた。父親はユダヤ教のラビであり、母親もラビの娘だったが、そうした両親の期待に反してシンガーは文学の道に進んだ。二十代初めから母語のイディッシュ語（東ヨーロッパに暮らしていたユダヤ人が日常生活に用いていた言語）で作品を発表し始めるが、長篇小説は『ゴライの悪魔』が最初である。『ゴライの悪魔』は一九三三年にワルシャワの文芸誌に連載され、その二年後に、ワルシャワのペンクラブによって本として出版された。その年の春にシンガーはアメリカに移住しており、彼のこの初めての長篇小説は、ポーランドで書いた唯一の長篇でもある。ニューヨークでは一九四三年にイディッシュ語版が、五五年に英語訳が出版された。その英語訳によってアメリカの批評家アーヴィング・ハウが、「並外れた本であり、素晴らしく、不可思議で、現代文学に関心をもつ者ならだれでも注目するに値する」と絶讃した（Irving Howe, "In the Day of a False Messiah," *The New Republic* 133, 31 October 1955）。本訳書はイディッシュ語から翻訳された英語版 *Satan in Goray*（Jacob Sloan 訳、Farrar, Straus and Giroux, 1955）の日本語訳である。

1　物語の背景

ユダヤ人は紀元前六世紀にバビロニアによって、また紀元七〇年にローマ軍によってエルサレムの神殿を破壊されて国を失い、以後一九四八年に現在のイスラエル国が建国されるまで二千年近くのあいだ、世界に離散して暮らした。シンガーが生まれ育ったポーランドを含む東ヨーロッパでは、彼らは独自の言語であるイディッシュ語を母語とし、地方ではシュテットルと呼ばれるユダヤ人町（村）で、都市部ではユダヤ人街で、ユダヤ教に基づく共同体としての暮らしを連綿と受け継いでいった。

離散・流浪の地（ディアスポラ）でユダヤ人は絶えず差別と迫害にさらされた。東ヨーロッパのユダヤ共同体は最終的にはヒトラーによるホロコースト（大虐殺）で壊滅させられるが、ユダヤ人が見舞われた虐殺はそれだけではない。なかでも『ゴライの悪魔』の舞台である十七世紀に起きた、ウクライナコサックの対ポーランド独立戦争に端を発するフメリニツキーによるポーランドユダヤ人の大量殺戮は、もっとも残虐なものの一つである。一六四八年から四九年にかけて、何百というユダヤ共同体が破壊され、殺されたユダヤ人は十万人を超えたとされる。さらに一六五五年にはスウェーデンによるポーランド侵攻が起きた。そうした恐怖と混沌の記憶が生々しい時代に、〈聖なる都〉エルサレムから、世の終わりと救済を告げるメシア（救い主）が現れたという知らせが各地のユダヤ共同体に届いたのだった。

サバタイ・ツェヴィ（一六二六～七六）はユダヤの歴史上最大の偽メシアである。彼はフメリニツキーによる大虐殺によってメシア願望が高まるなか、メシア色の濃いイサク・ルリアのユダヤ教神秘主義カバラーの影響もあって、ユダヤ世界に甚大な影響を及ぼすことになった。サバタイ・ツェヴィは一六六五年五月にパレスチナのガザで、ガザの預言者と呼ばれた若きラビ、〈ガザのナタン〉の支持を得て、自らをメシアだと宣言する。ポーランドを含むヨーロッパ各地には、十月初めから二か月ほどでその詳細が伝わった。各地域のユダヤ共同体はサバタイ・ツェヴィの熱狂的な〈信奉者たち〉と、彼がメシアであることを疑う〈反対者たち〉に分裂したが、勢いを増す〈信奉者たち〉による襲撃を恐れて〈反対者たち〉は口をつぐんだ。その後一六六六年二月にコンスタンチノープルに向かう途上でサバタイ・ツェヴィはトルコに捕らえられる。九月には死刑かイスラム教への改宗かの選択を迫られ、彼は一転してイスラム教に改宗する。しかしシンガーも作中で書いているように、この背教によってもサバタイ運動は終息に至らず、その影響は約百年のあいだユダヤ社会に残ることとなった。こうした歴史的事実を忠実にたどりながらシンガーは物語を展開している。

2 『ゴライの悪魔』

シンガーはアメリカに渡ってからも多くの作品でポーランドのユダヤ社会を描き続けたが、それらの作品の魅力の一つは、作中で再現されたユダヤ共同体の描写にある。『ゴライの悪魔』では、十七世紀のユダヤ人町の生活が生き生きと描かれている。シュテットルと呼ばれるユダヤ人町でもやがては時代とともに近代化を求める声が徐々に起こることになるが、二十世紀に入ってもユダヤ教を中心とする昔ながらの生活が色濃く保たれていた。シンガーは首都ワルシャワのユダヤ人町で育ったが、第一次世界大戦中の一時期を、母方の祖父がラビを務めたビウゴライという小さなユダヤ人街で過ごした。シンガーの伝記作者クレシュは、シンガーがゴライの町の雰囲気をビウゴライでの経験から引き出したこと、そしてもしビウゴライで過ごした数年がなかったなら『ゴライの悪魔』は書けなかっただろうと感じていたと伝えている（Paul Kresh, *Isaac Bashevis Singer: The Magician of West 86th Street*）。別のインタヴューでシンガーは、「『ゴライの悪魔』のほとんどのモデルはビウゴライの町のものだ」と語り、「ビウゴライの人々はゴライの人々にとてもよく似ているから、ゴライに彼らがいるのが容易に見て取れる」と言って、作中にビウゴライの人々を登場させたことを明かしている。ことにラビ・ベニシュについては、「実のところ私の母方の祖父である」とも言っている（Isaac Bashevis Singer and Richard Burgin, *Conversations with Isaac Bashevis*

Singer)。ちなみにゴライもビウゴライの近くに実在したユダヤ人町である。ゴライはフメリニツキーの大虐殺から立ち直ったが、一九四二年十一月にユダヤ人全員がベウジェツ絶滅収容所に移送された。シンガーの祖父がラビをつとめたビウゴライも同様の末路をたどった。

物語はラビ・ベニシュが、フメリニツキーの大虐殺によって荒廃したゴライを、昔から受け継がれてきたユダヤ教によって立て直そうとするところから始まる。彼はカバラーのような神秘思想や難解な神学論争の研究ではなく、聖書とヘブライ語、そしてユダヤ教本来の「聖なる教えという澄んだ泉」に人々を向かわせて秩序を取り戻そうとした。しかし町にはユダヤ人の救済が近いといううわさが各地の共同体から続々と届き、やがて聖地エルサレムからサバタイ・ツェヴィについての知らせをもたらす使者が到着する。そしてゴライの人々は、日々の掟を守りつつ共同体の再建をめざすラビ・ベニシュではなく、一挙にこの世の悪を打ち負かしてユダヤ人を救済すると約束するメシア思想に傾いていく。人々はまず極端な禁欲主義者イチェ・マテスを聖者と考え、次には浮かれ気分をもたらす快楽主義者ゲダリヤに町の行く末をゆだねることになる。

シンガーは共同体が混乱に陥るこの顚末を、情け容赦ないと言えるほどのあからさまな筆致で描いている。今では存在しない過去のユダヤ共同体を、多くのユダヤ人作家は郷愁と愛惜を込めて懐古的に描くが、シンガーは、徹底して感傷と美化を排した外面描写で綴っていく。人々は滑稽であれば滑稽なままに、グロテスクであればグロテスクなままに読者に提示される。穀物を買おうと家から出てくる女たちは「まるで穴から這い出す芋虫のよう」である。ゴライを訪れて流浪の終わりを触れまわる女は学問ある男のようにヘブライ語をあやつるが、行く先々で果物の砂糖煮の味見をし、何かの寄付金であるかのごとく金を手に入れる。町の有力者はあら挽き粉に混ぜ物をして不当に儲け、庶民はラビの禁令を無視して定期市でキリスト教の物品を商う。使いに出た夫の戻りが遅い妻たちは、未亡人となった場合には絶叫せねばと身構えつつ、たっぷりバターを塗ったパンをほおばる。

名もなき住民たちについてばかりではない。主要な登場人物たちもまた、主要人物に対する読者の期待を裏切る描写がなされる。本来ならば町を堕落から救う役割をになうはずのラビ・ベニシュは、町の人々のおよそ甲斐のない素人療法のあげく、泥酔状態のポーランド人老農夫の荒療治がとどめとなって、瀕死の状態でゴライから連れ出される。ラビ・ベニシュに代わって人々の崇拝の対象となったイチェ・マテスは、ルブリンからラビ・ベニシュに届いた手紙にあったほど悪辣な人物ではなさそうだが、ほどなく「去勢馬」であることが判明してゲダリヤに取って代わられる。ゲダリヤは町の実権とレヘレを手に入れて聖俗両面で町の指導者となるが、魔物に頭を殴られてレヘレのベッドから叩き出され、恥ずかしさのあまり外出もままならなくなる。モルデカイ・ヨセフは悪霊払いに成功し、聖書の文体を模した「地の業」では決まり文句によって繰り返し讃えられるけれども、実際のところは叫び、わめき、興奮のあまりしばしば失神する、嫉妬と自己顕示欲に凝り固まった熱狂者である。レヘレは外的な状況と彼女の内なるまぼろしに動かされ、常に受け身であって、不幸な生い立ちの病弱で美しい女性だが、「病的な感受性を備えた人物を敬愛するロマン主義の精神」で肯定的に描かれることなく、「彼女の病は否定的で不健全な連想に染まっている」(Avrom Noversztern, "History, Messianism, and Apocalypse in Bashevis's Work," *The Hidden Isaac Bashevis Singer*)。

『ゴライの悪魔』には英雄も英雄的な人物も、読者が望みをかけることのできる人物も登場しない。主要な登場人物は次々に入れ替わり、一貫した主人公は不在である。物語の中心はむしろ、偽メシア騒動に翻弄され、その結末を見届けるゴライの町であり、その住民たちと言えるだろう。舞台は十七世紀のユダヤ共同体という特異な世界だが、その住民たちは時代を問わずどこにでもいるごく当たり前の人々だ。ときに対立したり、あれこれの欠点はあっても、先の見通せない状況でなんとか日々を送ろうとする、現代の私たちといささかも変わらない人々である。彼らがイチェ・マテスやゲダリヤに、そしてひいてはサバタイ・ツェヴィに翻弄されたのは、困難で不安定な状況のなかで、ラビ・ベニシュが嘆いたように「百もの難問題を一つの答えで解いてしまおうと」したからであり、即座の絶対的な救済を約束する者に自分たちのすべてを託してしまったからである。

この物語から見えてくることとは、単純明快で即刻手に入る全面解決に走りがちな人間の危うさ、そしてそれに加えて、人間の認識力の不完全さと、願望的思考から来る真実の見極め難さである。偽メシアがイスラム教に改宗してもなお、つじつまの合いそうな理屈を探し出してこじつけ、信じ続けた者たちがいたように、人間の判断や認識の不確かさ、そして恣意性には限度がない。神が存在するならば、悪魔や悪霊も跋扈する。レヘレの見たまぼろしやモルデカイ・ヨセフの悪霊祓いは、そうした世界の産物であって、今日ならば心理学的に解釈が可能だろう。しかし人間のありようは、現在に至ってもほとんど変わっていないようである。一刀両断で正邪を決し、二者択一の世界観を掲げる偽メシアは、姿を変えていつの時代にも現れる。そしてまた、そうした独善的な世界観に与して、即座に与えられる解答を求め、事実よりも見たいものを優先し、信じたいことだけを信じ、不都合なことには目をつむって虚偽だと言い立てる人間のあり方は、十七世紀であろうが二十一世紀であろうが変わりがないようだ。

『ゴライの悪魔』でシンガーは、高徳なラビによる悪魔祓いという定番の筋立てと、ユダヤ共同体についての懐古的・感傷的な描写という二つの枠を脱して、時代を超えた、普遍的な人間の姿を描いたと言えるだろう。以後シンガーは、長篇小説の分野では、メシアを、あるいは偽メシアを求めるのではなく、メシアの到来を望みえない世界で人として生きる意味を模索する主人公を描いていく。

最初に述べたように、本訳書は英語訳からの重訳である。本文中の（　）及び（　）内の記述は英語訳の本文そのままであり、〔 〕は大﨑による訳註を示す。また、英語訳に疑問を感じた箇所はイディッシュ語の原文を確認し、不一致があった場合は註に記した。地名、人名、決まり文句等で、イディッシュ語原文では同一のものが英語訳の表記で不統一だった場合には、特に註記せずに同一の訳語とした。

今回も、未知谷の飯島徹氏と伊藤伸恵氏にすべてお任せして大変お世話になった。心よりの感謝を申し上げる。

大﨑ふみ子

二〇二五年二月二〇日

Isaac Bashevis Singer

1903年、ポーランドのワルシャワ郊外でユダヤ教のラビの子として生まれる。1920年代半ばからイディッシュ語による短篇小説を発表し始める。35年に兄で作家のイスラエル・ジョシュア・シンガーの援助で渡米。その後もイディッシュ語で作品を書き続け、1970年と74年に全米図書賞を、78年にノーベル文学賞を受賞する。長篇小説、短篇小説、童話、エッセイ、回想録など、多くの作品が英訳されている。日本語に翻訳された小説としては『奴隷』『罠におちた男』『ルブリンの魔術師』『ショーシャ』『悔悟者』『メシュガー』他、短篇集としては『短かい金曜日』『タイベレと彼女の悪魔』、『カフカの友と20の物語』『ばかものギンペルと10の物語』他、回想録に『よろこびの日』『父の法廷』他、童話に『やぎと少年』『お話を運んだ馬』『まぬけなワルシャワ旅行』他、多数ある。また短篇集『不浄の血』はイディッシュ語から翻訳されている。1991年にアメリカで亡くなった。

おおさき ふみこ

1953年生まれ。明治大学文学部文学研究科博士後期課程単位取得退学。鶴見大学名誉教授。著書に『アイザック・B・シンガー研究』(吉夏社)、『国を持たない作家の文学──ユダヤ人作家アイザック・B・シンガー』(神奈川新聞社)。共著書に『神の残した黒い穴を見つめて──アメリカ文学を読み解く／須山静夫先生追悼論集』(音羽書房鶴見書店)、『エスニシティと物語り──複眼的文学論』(金星堂)、『笑いとユーモアのユダヤ文学』(南雲堂)、『父と息子の物語──ユダヤ系作家の世界』(彩流社) など。翻訳書にアイザック・B・シンガー『ルブリンの魔術師』、『ショーシャ』、『悔悟者』、『タイベレと彼女の悪魔』、『メシュガー』(いずれも吉夏社)、『モスカット一族』(未知谷、第60回日本翻訳出版文化賞受賞) がある。

ゴライの悪魔

2025年4月3日初版印刷
2025年4月15日初版発行

著者　アイザック・バシェヴィス・シンガー
訳者　大﨑ふみ子
発行者　飯島徹
発行所　未知谷
東京都千代田区神田猿楽町 2-5-9　〒101-0064
Tel. 03-5281-3751 / Fax. 03-5281-3752
［振替］ 00130-4-653627

組版　柏木薫
印刷所　モリモト印刷
製本所　牧製本

Publisher Michitani Co, Ltd., Tokyo
Printed in Japan
ISBN 978-4-89642-751-6　C0097

アイザック・バシェヴィス・シンガー 著
大﨑ふみ子 訳

モスカット一族

本作で描かれるのは20世紀初頭
ポーランド・ワルシャワ
近代化と戦争に揺れるユダヤ人社会
実利に聡く独善的で気難しい
絶対的な長が築いた栄華から
三世代を経て、伝統的家族社会は
内部から崩壊していく
その間、ポーランド独立回復を目指す
数度の蜂起
ロシア革命、第一次世界大戦
独立回復、ポーランド・ソヴィエト戦争
ナチスのポーランド侵攻、第二次世界大戦…
100人以上の登場人物が蠢く
900頁に迫る大長篇
作品の最高潮は最後のセンテンスに…！
お見事！ とうなずくしかない
ノーベル文学賞作家の筆力

978-4-89642-717-2
872頁6000円

☆第60回日本翻訳出版文化賞受賞

未知谷